麦肯锡

问题分析与解决技巧

〔日〕高杉尚孝 著 郑舜珑 译

时代出版传媒股份有限公司
北京时代华文书局

图书在版编目（CIP）数据

麦肯锡问题分析与解决技巧 /（日）高杉尚孝著 ；郑舜珑译.
-- 北京 ：北京时代华文书局，2014.6
ISBN 978-7-80769-597-4

Ⅰ. ①麦… Ⅱ. ①高… ②郑… Ⅲ. ①思维方法 Ⅳ. ①B804

中国版本图书馆 CIP 数据核字（2014）第 079899 号

麦肯锡问题分析与解决技巧

〔日〕高杉尚孝 / 著 郑舜珑 / 译

出 版 人 田海明 周殿富

选题策划 胡俊生 责任编辑 胡俊生
执行编辑 樊艳清 装帧设计 尚世视觉 赵芝英

出 版 时代出版传媒股份有限公司 http://www.press-mart.com
北京时代华文书局 http://www.bjsdsj.com.cn
北京市东城区安定门外大街 136 号皇城国际大厦 A 座 8 楼 邮编：100011

发 行 北京时代华文书局图书发行部 （010）64267120 64267397
印 制 北京京都六环印刷厂 （010）89591957

规 格 710mm×1000mm 1/16
印 张 15.5
字 数 230 千字
版 次 2014 年 6 月第 1 版 2017 年 6 月第 17 次印刷
书 号 ISBN 978-7-80769-597-4
定 价 35.00 元

CONTENTS 目录

前　言：让分析与解决成为你的强项 / 001

Part 1　从发现问题到想出解决策略

第1章　如何掌握问题

问题的本质就是“有了落差” / 004

问题分成三种类型 / 009

哪个问题先解决？决定优先级 / 014

第2章　如何解决恢复原状型问题

恢复原状型问题有两大课题 / 019

还可以用差异分析找原因 / 029

真的是这个原因吗？如何确定因果关系 / 031

第3章　如何解决防范潜在型问题

防范潜在型问题的两大课题 / 037

由下而上法 / 039

由上而下法 / 043
危机管理是防范潜在问题，不是紧急处理 / 049

第4章　如何解决追求理想型问题

追求理想型问题的课题：最终目标要明确 / 055
实践理想：如何解决规划性课题 / 058
你能选定一个“明确”的理想吗？ / 063

第5章　如何以“分析”发现问题

“发现问题”是很重要的能力 / 070
SCQA分析，帮你发现问题、设定课题 / 073
自己找问题，实践SCQA分析 / 080
向客户做提案时的应用窍门 / 083

第6章　如何掌握问题的本质，制定替代方案

问题背后的问题：课题的本质是什么？ / 089
如何理性评价各种替代方案 / 094
万一只有一个解决提案，怎么办？ / 102
用于执行的行动计划 / 104

Part 2　情境分析，提升决策质量

第7章　情境分析反应快，笃定预测风险高

笃定的预测——总遇上不愿面对的真相 / 112
情境分析——预想几种最可能发生的故事 / 117

第8章　说未来的故事：制作环境脚本

从“结构”来掌握环境因素 / 123

掌握各类风险因素的重要度 / 126

制作环境脚本 / 138

壳牌公司的情境分析事例 / 142

第9章　结合脚本和替代方案

用环境脚本评价各替代方案 / 151

制作脚本 / 行动矩阵 / 152

评价企业的投资，用净现值来分析 / 155

第10章　解决策略的选择顺序

剔除超出容许范围的解决策略 / 158

思考环境脚本各状况的发生几率 / 160

考虑风险和报酬，再选择行动 / 161

Part 3　麦肯锡的强项：分析

第11章　分析要合乎逻辑，其实很简单

分析与解决的基础：逻辑思考 / 168

逻辑不凭感觉，而是有具体主张和论述 / 171

以对方的立场检视自己的逻辑 / 173

第12章　“分析”的本质

以MECE的概念分析 / 179

活用现成的架构，进行分析 / 183

第13章　如何分析策略、产业、组织、营销

思考事业战略的“3C” / 187

适用于业务分析的“五力” / 189

思考组织策略的“7S” / 194

拟定营销策略的“4P” / 197

将促销策略用MECE分解 / 200

第14章　如何分析

显示获利模式的“商业系统” / 204

分析消费决策流程的“AIDMA”模型 / 207

保全品牌名声的“道歉启事”架构 / 210

第15章　矩阵分析：从个人职业发展到公司成长

分析事业组合的“PPM矩阵” / 214

用“产品・市场矩阵”思考成长策略 / 216

检讨企业并购的“企业价值创造矩阵” / 218

协助职业生涯规划的“职业生涯矩阵” / 220

第16章　解决问题的心理素质

3种想法，会害你无法“平常心” / 224

“死脑筋思考”的问题点 / 227

用“期望思考”找回正面心态 / 230

后　记：解决问题的能力，决定你的待遇 / 235

前 言

Mckinsey, Problem Analysis and Solving Skills

让分析问题与解决问题成为你的强项

这是一本专为商务人士设计，以提升分析问题与解决问题能力的指南。

无论你是一般职员或是高层管理人员，无论你在组织中担任什么职务，分析与解决问题的技术已是置身商场不可或缺的核心技术之一。本书在逻辑思考的基础之上，建构出一套体系，从理论和实务两方面来说明解决问题的技巧，以及在背后支撑它的分析技术。

本书的举例范围广泛，从日常生活中的大小事到企业策略都包含在内。我希望从“认识解决问题的本质”这个观点起步，然后扩大应用范围。撰写本书的目的，是希望初学者看了简明易懂，高手看了很有收获。

本书提出的解决问题手法，分为五个步骤。

①发现问题，并将问题分类。

②将问题转化成具体的课题。

③找出解决课题的替代方案。

④运用适合的标准，评估每项替代方案。

⑤选出最佳的解决方案，并采取行动。

由于所采取的行动将影响未来，而且解决方案的效果很容易受到环境变化的影响，因此特别提出“情境分析”这种评估解决方案的手法，以强化第四个步骤。

图表1 解决问题的基本步骤

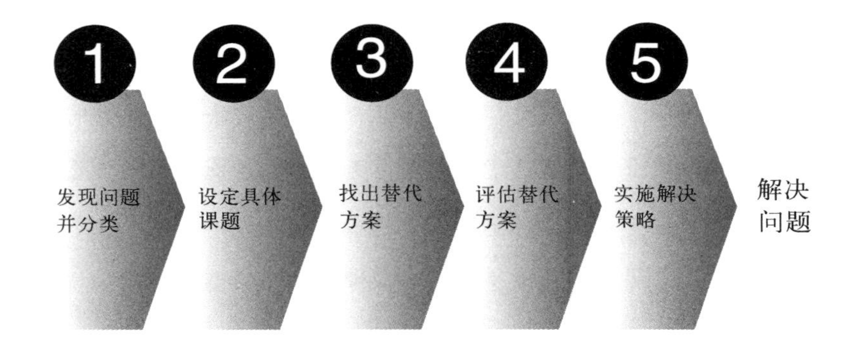

■ 发现问题最为关键

步骤本身很简单，但解决问题的路途却很遥远。特别是发现问题以及设定课题的过程非常重要，其原因在于，如果我们连问题的存在都没发现，等于尚未站在思考解决策略的起跑线上，而且在发现问题的同时，我们还要确实掌握问题的类型，才能够确定解决问题时的核心课题领域。设定课题以及限定分析领域的结果，决定了我们所界定的解决策略范围。简单讲就是，能否顺利解决问题，取决于课题设定的优劣。

在实务上，我们要处理的课题多半是已被决定的具体课题。但有时候，这个课题不一定值得我们拨出宝贵时间去解决。还有另一种情况是，我们在没有获得客观事实的状况下，便被要求要主动发现问题。无论是面对课题时囫囵吞枣、只顾拼命找出解答，或是在被交付课题之前完全不采取任何行动，采取这两种态度的人都称不上是明智的问题解决者。

在本书的前半段，我根据这五个步骤，解说问题的本质、分类、解决过程，帮助你掌握“问题解决技术”的全貌。在后半段，我说明“情境分析”的技术，希望借此提升解决问题的质量。最后，由于分析力对于解决问题很重要，因此我介绍能增强分析力的架构。而且，我从“解决问题不仅是一种技巧，同时也是思考事物的方法”这个观点，进行归纳，介绍能培育出分析问题与解决问题能力的正确心态。

本书能够顺利完成，最重要的养分来自我在麦肯锡公司从事管理顾问工作的经验。透过分析发现问题，进而解决问题，向来是麦肯锡公司的强项。我有幸能和东京与纽约办公室的同仁共事，这段历练是我极为宝贵的财富。

在信息顾问公司担任危机管理顾问所累积的经验，也帮助我完成本书。当然，在宾州大学华顿商学院取得企业管理硕士（MBA），在阿尔伯特·艾利斯（Albert Ellis）研究机构接受的心理治疗训练，以及在石油公司与投资银行从事的业务，都是本书的重要参考依据。此外，我在经营事务所和指导众多企业研修上的实际经验，也是撰写本书的材料。

虽然篇幅有限，但是我希望能透过本书将这套技巧分享给读者。读完本书后，一定能够大幅提升分析问题与解决问题的能力。

最后，我要向日本经济新闻社的堀江宪一先生和其他职员致谢，他们对于本书的执笔及出版，帮助甚多。

图表2 解决问题的示意图

解决问题		分析力	替代方案	制作脚本
发现问题	课题领域			
追求理想型	资产盘点	●		
	选定理想	●	●	●
	行动计划	●	●	●
防范潜在型	确定不良状态	●		
	预防策略	●	●	●
	发生时的应对策略	●	●	●
恢复原状型	掌握现状	●		
	分析原因	●		
	紧急处理	●	●	
	根本解决	●	●	
	防止复发	●	●	●

Part 1
从发现问题到想出解决策略

第 1 章 如何掌握问题

- 问题的本质就是“有了落差”
- 问题分成三种类型
- 哪个问题先解决？决定优先级

问题的本质就是“有了落差”

b Mckinsey, Problem Analysis and Solving Sk

1. 所谓“问题”，就是“必须被解决的课题”

尽管事情的重要性与紧急性有所不同，但是我们身边随时都存在着无数的问题。例如：

“如何开发出畅销商品？”

“明天的会议要请谁主持？”

“如何抢回失去的市场？”

“怎样才能减少流通成本？”

“如何让经营团队批准投资提案？”

然而，所谓“问题”到底是什么？它可以是莎士比亚名剧《哈姆雷特》中出现的艰难疑问：“是生？是死？这就是问题所在（To be or not to be, that is the question.）”也可以是日常生活中的小事：“今天午餐吃什么？”

在无数的“问题”当中，有一个共通点，那就是我们必须决定如何拟定解决策略并付诸实施。换句话说，所谓“问题”都包含了一个要点：存在单一或多种课题（Question），必须拟定解决策略并付诸实施去解决。

以哈姆雷特为例，他“必须拟定解决策略并付诸实施去解决课题”，就是“是生还是死？”这个二选一的提问。因此，他的解决策略要在决定了是生还是死之后，才能够实施。至于“午餐吃什么”的问题，解决策略是先衡量自己的钱包，并从菜单中选择自己喜欢的食物。在这种情况下，问题将在做决定的阶段之前，就被去除或是解决。

尽管这两种问题的分量不同，但都是必须拟定解决策略并付诸实施去解决的课题。大家可以想想，你在生活中碰到的问题是否不断地要求你，必须找出解决策略并付诸实施？

2. “解决”的意思是：做了决定便难以撤回

通常，我们实施一项解决策略时，常会伴随着无法轻易撤回的必然结果。哈姆雷特一旦死了，就难以复生。午餐的问题也一样，吃了牛肉盖饭后，才后悔应该点拉面，为时已晚。（不过，与哈姆雷特的例子不同的是，只要你还活着，可以选择晚上再吃拉面。）

再者，假如某家公司为了扩大营业额，增设生产线，然而在其他公司的产量也增加之后，该公司的营业额便不会实现预期的增加。如此一来，该公司虽然增加了生产线，却面临不得不降低运转率的窘境。增设生产线的花费不是一笔小数目，大额投资意味着套牢了大笔现金。即使生产过多而卖不完，也很难撤掉生产线。我想大家都很清楚，持有闲置资产对企业是多么大的负担。正因为做出决定就难以撤回，所以必须寻求正确的解决策略。

3. 问题的本质是期望与现状的落差

现在我们知道，问题是必须拟定解决策略并付诸实际行动去解决的课题，然而“问题的本质”到底是什么？

图表1－1　问题的本质

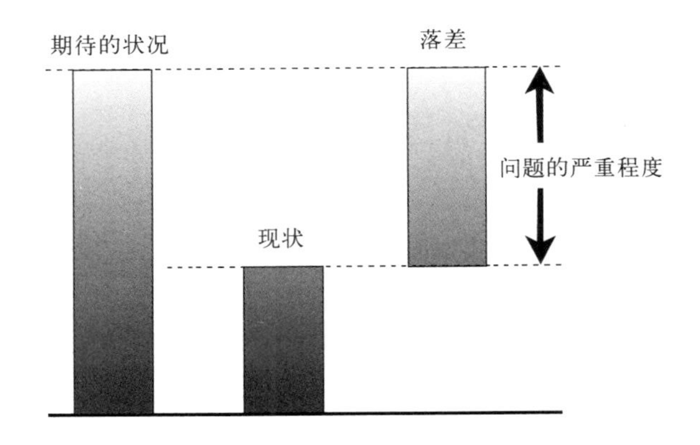

哈姆雷特的课题是“是生还是死？”，也就是被迫从这种相互排斥的选项中做出决定。因此，我觉得关于问题的本质到底是什么的答案，就在他的台词中：

> 是存在还是消亡，问题的所在；
> 要不要衷心去接受猖狂的命运，
> 横施矢石，更显得心情高贵呢。
> 还是面向汹涌的困扰去搏斗，

用对抗把它们了结？[1]

由此看来，哈姆雷特期望的生存之道，是能够“更显得心情高贵”。于是，他的现状与期待之间有了落差。而消除这段落差的解决方案，就是“是生还是死？”这个课题（提问）。

4. 午餐问题的本质也在于“落差”

回到刚才的午餐问题，主角在白天时觉得肚子饿，为了解决空腹这个现状，希望让肚子恢复适度的饱足感。在这种情况下，“适度饱足状态”的期待与“空腹状态”的现状之间出现落差。然而，更可以解释为，主角希望达到一举两得的理想目标，也就是既然要吃，还不如从菜单中选出一个满足度最高的选项。

因此，所谓的“问题”，就本质而言，是指期待的状况与现状之间的落差。举例来说，某家公司在业务上出现一个问题：A产品的形象越来越差。这表示公司忧心，对A产品所期待的形象与现状之间产生落差。再举个例子，以度假饭店来说，当空房率居高不下被视为一个问题时，这意味着饭店所期待的空房率与现状之间有落差。

在此，我请问各位，你们的问题是与期待状况产生了什么样的落差？

① 引自孙大雨译：《哈姆雷特》，联经出版社1999年版。

5. 问题具有两面性

顺着这个方向思考下去会逐渐发现，原来问题具有Problem和Question两面性。所谓“问题”，除了现状与期待之间的落差：Problem之外，还有另一个方面，就是Problem所延伸出来的课题：Question。因此，解决问题的作业流程应该是：先发现与期待产生落差的Problem，然后选定作为具体课题的Question，并找出作为解答的Answer。

因此，在本书中，我用“问题”来表示期待的状况与现状之间的落差，用“课题”来表示追求答案的提问。附带说明，“课题”翻译成英文时，一般比较常用Issue而非Question。

6. 问题分成三类，课题各有不同

我先说结论。**问题（即期待的状况与现状之间的落差）可分为三种类型：“恢复原状型”“防范潜在型”“追求理想型”**。这些都只是原型，当我们实际处理问题时，大多数的情况都混合了这三种类型。

另外，在课题（即必须解答的提问）领域中，包含“掌握现状”“分析原因”“预防策略”“发生时的应对策略”“防止复发策略”“选定理想”，等等。如果你问我哪一种课题领域最重要，我会说因问题的类型而异。另外，在这些课题领域里，时时都要设定更具体的课题。

问题分成三种类型

Mckinsey Problem Analysis and Solving Skill

1. 从目的区分：恢复原状型和追求理想型

一般而言，问题可以区分为两种类型：以恢复原状为目标，以及以提升现状达成理想为目标。这种分类方法是用目的来区分问题类型。**“恢复原状型”是指恢复成原本的状态，遇到这种类型的问题时，要将原本的状况视为期待的状况。**恢复原状型问题的思考方式是，现状与过去的状况之间出现落差，要从落差中找出问题。例如：

“市场占有率与去年同期相比少了5%。”

“手表电池没电，因此不动了。”

“营销费用在最近几个月逐渐攀升。”

“因忧郁症而长期停职的员工人数，比去年多出一倍。”

“自行车的轮胎破了。”

如果这些状况被视为问题，那么说出状况的人便是发现了恢复原状型的问题。其原因在于，我们可以推测，他们将恶化之前的状况假定为期待的状况。因此，解决这种问题时，必须将现状恢复成以前的水平。简单地说，就是恢复原状。

图表1－2　问题的类型

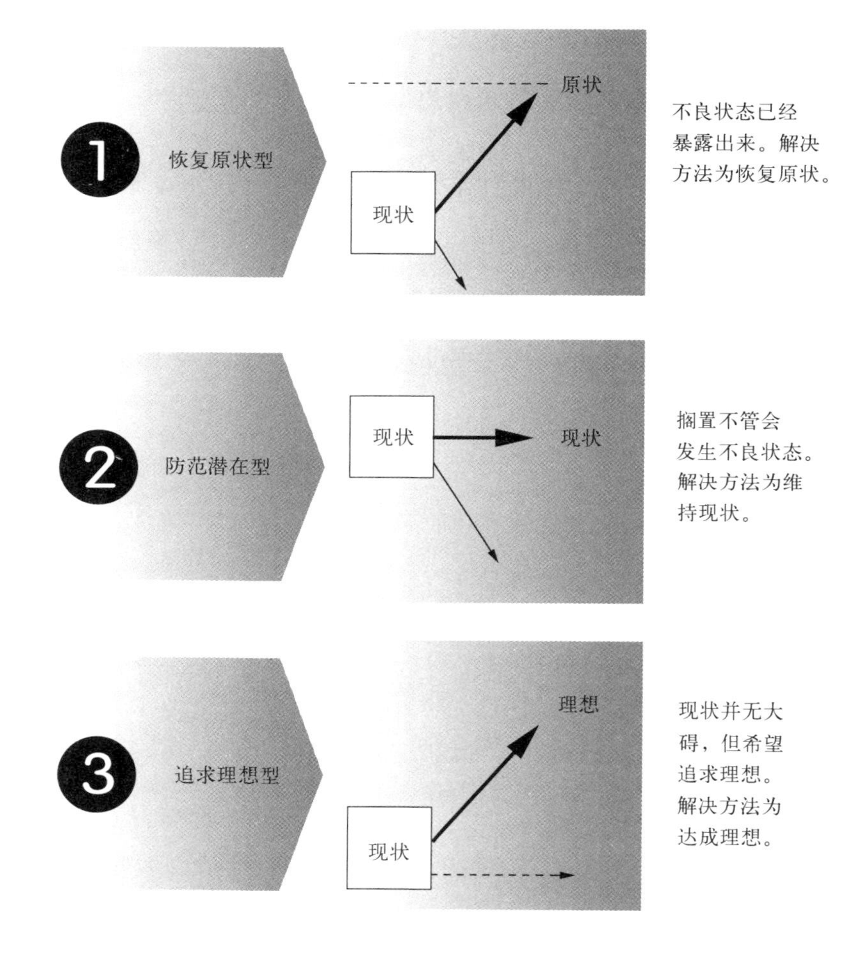
1
恢复原状型
原状
现状
不良状态已经暴露出来。解决方法为恢复原状。
2
防范潜在型
现状
现状
搁置不管会发生不良状态。解决方法为维持现状。
3
追求理想型
理想
现状
现状并无大碍，但希望追求理想。解决方法为达成理想。

以上述的例子来说，手表没电了，就去钟表行换电池。想修好自行车的破胎，只要去自行车行拜托老板修理即可。但是，其他的问题就没那么简单。如果以为恢复原状是比较容易解决的问题，很可能会吃到苦头，因为形成问题的原因很复杂，其中包含了自己无法掌控的复杂因素，例如环境的结构性变化等。

2. 追求理想型的目标在于提升现状

追求理想型问题之所以发生，是因为现在的状况未满足期待。因此，**追求理想型问题的思考方式是，虽然目前没有重大损害，但由于现状未满足期待的状况，于是把它视为问题。**例如：

"明年的目标是，希望营业额可以成长7%。"

"我想住更高楼层的房子。"

"我希望能挤进大学生最想进入的世界500强企业工作。"

"在处理事务工作上，我希望能再减少3个小时。"

"我希望能在近期内购买新型的车子。"

以上的例子都是目前没有立即的损害，但是这些想法都认为现状不如理想，并将其视为问题。这些例子将理想与现状的落差视为问题，属于追求理想型问题。

这个类型的困难之处在于，你的理想状况设定在哪个位置。设定得太高，有些人可能还没开始努力就放弃了。反过来说，设定得太低，则无法激发出挑战的激情。

3. 用显在或潜在的观念来区分问题

除了用目的来区分恢复原状型和追求理想型这两种问题，还可以将“显在或潜在”这种时间上的观点，当做问题分类时的切入点。**所谓“显在型问题”，是指眼可见其形、或大或小、已发生不良状态的问题。**如果我们现今观察到的问题，例如“营业额减少”“成本攀升”“离职率上升”等，出乎原先的预料之外，那么这些已发生不良状态的问题都称做显在型问题。

另外，**所谓潜在型问题，是指现阶段并未发生损害，但未来可能显在化的问题。**举例来说，从历史的角度来看，日本的银行业在战后很长一段时间里，将相关规定和业务领域界定得很明确。都市银行、长期信用银行、信托银行、地方银行，以及其他与地方关系密切的中小金融机构等，全都严格规定，在各自的领域中经营[①]。对于置身业务的企业而言，回顾历史可以发现，金融自由化所造成的区域屏障消除，以及全球化所引发的激烈竞争，都是过去的潜在型问题在现今显在化了。

潜在型问题未必都会像上述的例子一样，影响整个业务。举例来说，某家公司打算在室外举办创业纪念派对，当天可能会发生诸多潜在型问题，例如“主宾突然无法出席”“下雨”“出席者过多（或过少）”，等等。

---

① 编按：金融机构是指从事金融服务的企业或单位，例如银行、证券公司、信托投资公司、农村信用社等。

4. 结合目的和时间，将问题类型化

根据上述分析，我们可以根据问题的目的和发生时间，将问题区分成三种类型：恢复原状型、防范潜在型、追求理想型。

①恢复原状型问题： 在大多数的情况里，不良状态已全部显在化，因此恢复原状型问题也等于显在型问题。

②防范潜在型问题： 因为是目前并无大碍、但将来会发生不良状态的问题，所以若以目的做区分，可视为恢复（维持）原状型问题。

③追求理想型问题： 其目标在于提升现状以达到理想状况，因此从“现状并无大碍”的观点来看，它与以时间轴做区分的防范潜在型问题相同。不过，它与防范潜在型问题不同的是，即使置之不理，将来也未必会发生重大不良状态。

5. 厘清问题类型，便能设定课题方向

如同上述，**根据目的和时间的类型所构成的组合，问题大致上可区分成三种类型。当然，随着问题的范围大小不同，同一个问题也可能包含多种类型。**比方说，你当初以为某个问题只是单纯的恢复原状型，最后却变成追求理想型。

举例来说，平常用于通勤的自用小客车时常引擎熄火。熄火本身属于恢复原状型问题。另外，即使解决了熄火的问题，车子本身会越来越老旧，往后还可能发生其他的故障，因此未来有可能发生防范潜在型问题。考虑到这一点，问题的发展或许会演变成是否干脆换一辆新的高档车？如此一来，追求理想型问题也跟着出现了。

图表1-3 问题的特征

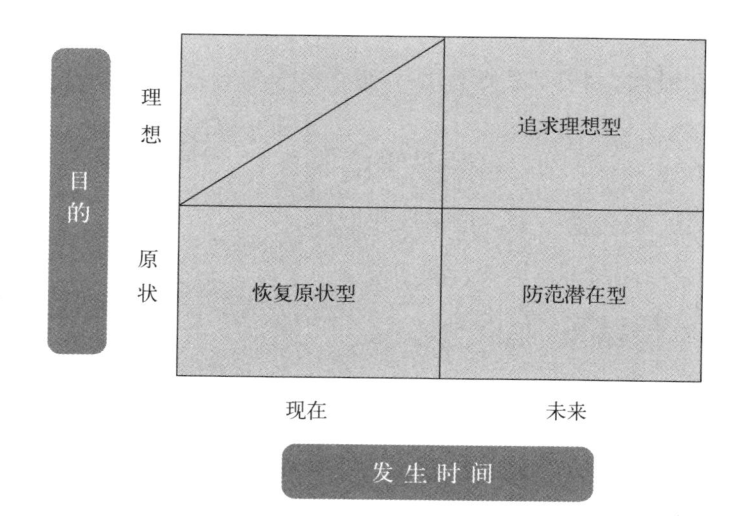

为什么确定眼前面临的问题类型很重要？因为问题类型可以为课题设定找到方向。关于这一点，我将在后面的章节深入说明。现在，先介绍这三种类型。

Mckinsey, Problem Analysis and Solving Ski

哪个问题先解决？决定优先级

Mckinsey, Problem Analysis and Solving Ski

1. 根据紧急性和重要性决定优先级

如果我们锁定的问题很多，该从哪一个问题开始着手呢？其实，“总之哪一个都行，先做比较重要”的想法效率最差。我们首先要决定优先级，然后开始解决问题。

一般而言，在分辨事情的优先级时，比较有效的方法是从“紧急性”和“重要性”这两个标准下手。若从结论来说，就是优先处理高重要性且高紧急性的问题。相反地，影响小且不紧急的问题可以最后处理。不过，在有待解决的问题当中，要是有能轻易解决的问题，最好尽快处理。

其实，这个手法也可以应用于日常生活中。举例来说，做菜时，假如锅中的油突然起火，我们会立刻将火扑灭，因为若搁置不管，就会酿成火灾。所以，以锅中着火的油来说，为了继续做菜，它属于恢复原状型问题；另外，若搁置不管会酿成火灾，于是它也属于防范潜在型问题。

同样地，我们假日在家自己动手做木工时，如果手指不小心被电锯切断，应该会立刻跑去医院（这时候，别忘了先冰镇断掉的手指，一起拿去医院）。这些问题一定是优先于“替不动的手表更换电池”的。

图表1-4　优先顺序矩阵图

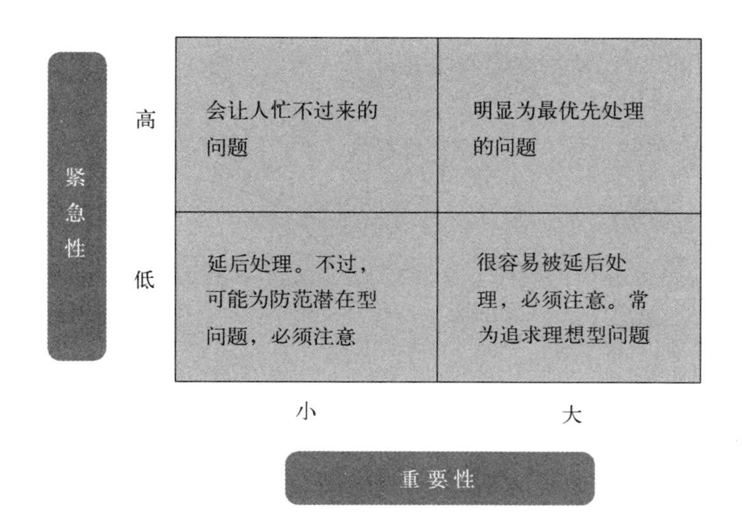

2. 不紧急但重要性高的问题，最容易忽略

如果遇到上述的紧急状况，只要不是陷入恐慌，大概没有人会弄错问题的优先级。另外，这时候，我们可以直觉地判断，眼前最优先处理的课题并非分析原因，而是紧急处理。

但是，我们所碰到的问题通常不容易判断出性质。因此，要从紧急性和重要性来判断问题的优先级。

以“选择结婚对象”这个问题为例。就重要性来说，这个问题绝对可以排进人生大事的前几名，但一般而言，它并非需要立刻做决定的高紧急性问题。在这种情况下，你或许会优先处理另一个问题：修理坏掉的厕所门。可是，如果不注意，很可能就一直延后处理“选择结婚对象”的问题。

这就是高重要性、低紧急性问题的最大特征：存在着一拖再拖的危险。由于这种问题不需要立刻做决定或是采取行动，因此你虽然一直将它放在心上，但总是被一些低重要性且高紧急性的问题缠身，结果就忽略了处理高重要性且低紧急性的问题。

以个人的层面来说，这种问题包括了前面提到的选择结婚对象，或是留学、考执照等，而全家出游或许也是其中之一。以企业来说，在既有的事业蒸蒸日上之际，容易忽略了开发新事业、拓展新市场、研发新商品。然而，当发觉这些事情的重要性时，很可能为时已晚，因此一定要留心。

3. 防范潜在型问题，预防和应对并重

评价问题的重要性时，最要紧的是不但要辨别出目前的不良影响，还要看出今后会扩大的可能性。已经显在化的不良影响程度越大，则越紧急。假如目前的不良影响很小，而且没有恶化的趋势，就可以延后处理。

此外，我将在后面的内容中详述，对于防范潜在型问题，有两种策略非常重要：一种是避免将来产生不良影响的“预防策略”，另一种是使显在化的冲击降到最低的“发生时的应对策略”。而且，在采取这些策略之前，必须弄清楚还有多少缓冲时间。

举例来说，很少人会在十几岁时担心老后的事，但相对地，超过55岁还没想好养老的对策，麻烦就大了，最好立刻着手。另外，即使计算机现在没有任何问题，也最好尽快将计算机中的数据备份。同样地，在地震发生之前，平时就应该在能力范围内做好预防措施。

如果对于防范潜在型问题的预防策略与发生时的应对策略，没有一定程度的了解，就无法从紧急性和重要性的角度，来决定问题的优先级。因此，最好在初期阶段，便在可理解的范围内判断防范潜在型问题的优先程度。

第2章

如何解决恢复原状型问题

- 恢复原状型问题有两大课题
- 还可以用差异分析找原因
- 真的是这原因吗？如何确定因果关系

恢复原状型问题有两大课题

Mckinsey, Problem Analysis and Solving Skill

1. 知道问题类型，才能够锁定重点课题

前文中，我们以“期待的状况与现状之间的落差”这个观点为基础，用目的和发生时间这两条轴线，将每天面临的问题区分为恢复原状型、防范潜在型及追求理想型。**了解自己所面临的问题属于哪一种类型非常重要，因为根据问题的类型，我们可以大致决定解决问题的课题领域。**接下来，我将说明如何根据问题的类型，设定重点课题以解决问题。

2. 恢复原状型的课题：分析原因、采取应对策略

首先介绍恢复原状型问题。对一个问题解决者而言，在工作和日常生活当中，应该最常碰到恢复原状型问题。解决恢复原状型问题时，基本课题是“分析原因”，也就是分析为何现状与原状会产生落差。找出真正的原因之后，在恢复原状的同时，还要为维持原状采取适合的解决策略，也就是应对策略。根据问题的不同，应对策略又细分为紧急处理、根本解决、防止复发等课题领域。

图表2－1　恢复原状型问题的课题领域

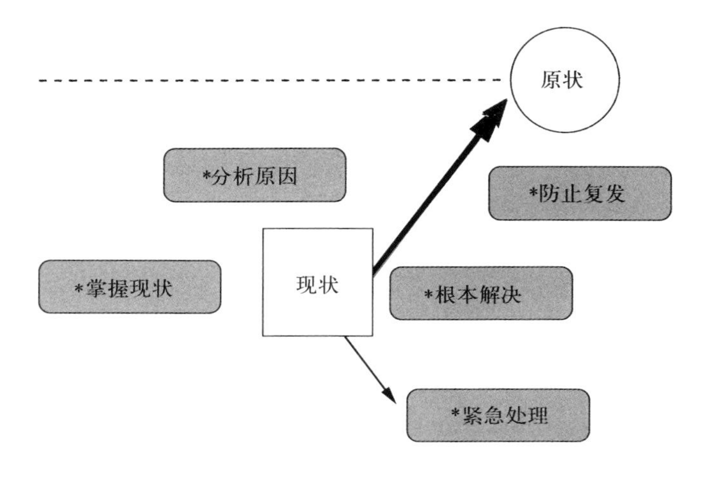

＊记号表示课题领域

3. 只看到表面问题，只做紧急处理

如果不分析问题的根本原因，就会变成只对问题的表象进行处理。举例来说，发烧吃感冒药，但说不定是罹患肺炎；公司的营业额减少，因此打出华丽的宣传广告，但如果市场已经饱和，很难产生效果；投诉增加，因此增加客服人员，但如果产品本身有问题，便只是治标不治本。在大多数的情况下，真正的解决策略并不只是处理表面问题。

4. 正确分析原因，才能根本解决和防止复发

解决恢复原状型问题时，最重要的课题是分析原因，因为唯有确定不良状态的原因，才能替问题量身定做，拟定根本解决和防止复发策略。

举例来说，某个人经常为头痛所困扰。以紧急处理来说，应该立刻服用药物以解决疼痛。然而，之后最好还是去做相关检查，分析头痛的原因。如此一来，才能对症下药。假如头痛的原因是眼镜的度数不合，可以去配一副新眼镜。假如原因是脑肿瘤，或许需要接受手术。根据分析出的原因进行根本解决之后，就要考虑防止复发策略，例如改善生活习惯等。

同样地，假如某条生产线制造的产品出现瑕疵，以紧急处理来说，应该立刻停止这条生产线的运作。同时，为了维持生产量，可以提高其他生产线的运转率，或是外包生产。接着，深入分析产生瑕疵的原因，进行根本解决以排除原因，然后重开生产线。之后，还要思考防止复发策略。

在大多数的情况下，如果找不出发生不良状态的原因，那么任何应对策略其实都只是一种紧急处理。总之，没有正确分析出原因，问题就不能根本解决。

5. 分析原因：基于事实、掌握状况

就分析原因的课题而言，**第一个要求是，问题解决者必须缜密且冷静地掌握问题状况，因为只要确切掌握问题的现状，就有很高的几率查出原因。**

其实，我们可以把掌握现状和分析原因这两个课题领域，视为一个连续的作业。换句话说，可以把掌握现状当成一种独立的课题领域，但如果从更大的框架来看，掌握现状其实也属于分析原因的一部分。

掌握现状与分析原因息息相关，其基础建立在对事实的掌握程度上，也就是“事实调查”（fact finding）这个掌握现状的过程，包含了问题发生在何时、何地以及问题为何，等等。关于事实调查的技巧，后面将做更深入的说明。

6. 麦肯锡顾问的强项在于分析事实

事实上，在麦肯锡公司里，即使三十岁前后、资历尚浅的顾问，也能对大企业提出有价值的建议，其原因就在于，他们的建议完全是以事实分析为基础。

企业的员工每天在第一线从事自己的业务，大多数的人都是凭借有限的经验和直觉在工作。此外，一般较为年长的经营顾问，则容易直接套用自己的经验和体验，来提出建议。而那些建议多半流于表面，比如“报告、联络、商量”“切实整理整顿”“降低成本”，等等。

相较之下，麦肯锡公司的顾问必须彻底进行事实调查。当然，如何将搜集到的事实简明易懂地传达给客户，需要高明的技巧。但是，在陈述事实上，年龄和经验并非决定性的要素。

7. 在解决问题能力中，分析力最重要

其实，从掌握现状和分析原因中获得的成果，绝大部分来自以事实为基础的分析力。而且，不只是掌握现状、分析原因，在解决恢复原状型问题的过程中，包括紧急处理、根本解决、防止复发策略等，分析力都是最重要的。分析力不足，就无法明确掌握事物的状况，解决问题的能力自然低落。所以，我再三强调分析力是解决问题中最重要的要素。当然，**分析力的基础就在于逻辑思考**。

在本章中，我将顺着解决恢复原状型问题的脉络，按部就班解说。但事实上，不限于恢复原状型，分析力是解决所有类型的问题时必备的一项技术。下一

章会谈到防范潜在型问题，其课题领域包括了假设不良状态、拟定预防策略、不良状态发生时的应对策略等，而且每个课题领域也都要求问题解决者必须具备分析力。同样地，在解决追求理想型问题的过程中，例如盘点公司强项（即资产盘点）、选定理想、行动计划等，也都必须借由分析力才能够达成。

那么，解决问题时必备的分析力到底是什么样的能力？接下来，我以解决恢复原状型问题时的“分析原因”课题为例，进行解说。

8. “分析”是什么?

关于分析，我在前言稍有提及。如同字面所述，**“分析”是指针对对象的状态和现象，追根究底地进行归类**。换句话说，分析就是将混沌的现实区分成有意义的群组后，阐明其相互关系的一种脑力作业。如果你在问题的掌握上糊里糊涂，就无法找到问题的本质和真正的原因。

总而言之，“分析”这项作业的本质在于，除了要筛选出问题的构成要素，还必须从细部了解要素之间的关系。这是一种从结构的角度来理解状况的作业。

而且，所归纳出的要素最好符合MECE原则[①]，也就是说，必须符合“不重复、不遗漏”的原则。

除了MECE之外，本书的后半部还将介绍其他有用的分析工具。

接下来，我以具体事例来说明分析原因的流程。

① 编按：MECE的全称是“Mutually Exclusive, Collectively Exhaustive”，直译为“相互排他性、集合网罗性”，请参见第十二章。

D公司的业务是销售健康食品，由推销员负责贩卖并抽取佣金。S（36岁，男性）是D公司管理部门的人员。他发现，最近几个月，推销员的生产力有下降的趋势。

面对这个状况，S认为问题点在于推销员的生产力下降。由此看来，问题的类型是恢复原状型。

由于“推销员的生产力下降”与预期的状况产生落差，因此确实发生了问题。既然是恢复原状型问题，重点课题在于掌握状况，以这个基础去分析原因，然后思考下一个课题的应对方式。

在分析原因之前，最重要的是具体且正确地掌握问题的状况。首先，S必须细致分解“生产力”这个模糊且抽象的概念。

9. 用数据和事实分解一件事的结构，便能掌握状况和原因

所谓“生产力”，由哪些因素组成？**就D公司而言，生产力是推销人员的总销售额除以推销员的人数。**而所谓“生产力下降”，具体地说，就是平均每位推销人员的销售额下降。这样的表现方式比“生产力下降”的说法更清楚。

接着，进一步地详细分析，将每位推销员拥有的总顾客数乘以平均每位顾客购买的金额，就可以计算出哪些推销员态度积极（高于平均者就是积极推销员），哪些推销员几乎没有行动（消极推销员）。

分析至此，我们已经快要找到“生产力下降”的具体原因。可能的原因如下。

①积极推销员减少

②平均每位推销员的顾客数减少

③平均每位顾客的购买金额减少

接下来，只要将统计资料套用进去即可。假设“平均每位顾客的购买金额减少”是主要原因，那么先前“推销员的生产力下降”的说法，就可以用更详细具体的方式来表达：平均每位推销员的销售额下降，原因在于平均每位顾客的购买金额减少。

图表2-2　生产力下降的分解图

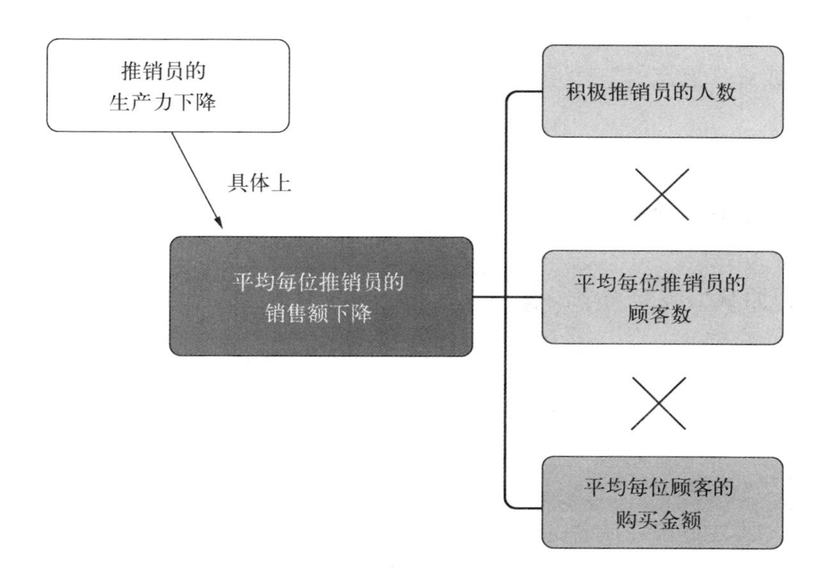

10. 出现的结果是现象还是原因？千万别弄错

假如我们确定原因是平均每位顾客的购买金额减少，那么“增加平均每位顾客的购买金额”是好的对策吗？

就方向性来说没有错。但是，“平均每位顾客的购买金额下降”属于现象，就“拟定具体应对策略”的观点来看，还得分析出更深层的原因。换句话说，必须深究为什么平均每位顾客的购买金额会减少，接着才思考具体的应对策略。

举例来说，如果是商品的形象太老旧导致顾客的购买金额减少，那么应对策略可能是提升商品形象，给顾客耳目一新的感觉。这时候，必须构想出一个能提升商品形象的替代方案。不过，这里有一个难题：分析原因需要深入到什么程度？

丰田汽车公司有一个口号：“当发现产品有瑕疵时，至少要问自己五次‘为什么’。”或许，五次是一个值得参考的标准。

11. 有些问题不需分析原因

在恢复原状型问题当中，有一种类型的问题不必理会原因，只要将损坏的部分修理好即可，那就是“修缮型问题”。对于这个类型的问题而言，“分析原因”这个课题并不重要，不过它仍然属于恢复原状型问题。例如，自行车爆胎就属于修缮型问题。

换句话说，不管轮胎爆胎是因为碰到钉子或是玻璃碎片，不管是在哪里或是以何种方式爆胎，分析原因并不重要，通常是把轮胎修好就没事了。因此，遇到修缮型问题时，重点课题应该是放在问题发生时的处置，而非分析原因。同样地，当有人手臂骨折时，先不管原因为何，应该立即找一块木头固定做紧急处理，然后去医院上石膏做根本解决。

12. 不良状态频繁发生，要分析原因

不过，即便修缮型问题，分析原因仍有可能成为重要的课题。一般而言，修缮型问题多半像刚才自行车爆胎的例子一样，只要修理并恢复原状即可。然而，假如自行车频频爆胎，我们必须分析原因，知道自行车是在何时、何地爆胎。如果知道原因是每次去超市购物的途中都会经过施工现场，那么下次只要绕路就可以解决问题。骨折的问题也是一样。假如某人频繁地在某个特定场所发生骨折，就要深究发生骨折的原因，拟定策略以防止下次发生同样的伤害。

这时候的策略是“防止复发策略”，然而应该将个别的不良状态视为问题，还是将频率视为问题？不管是哪一个，最重要的是要先确定问题的类型，再思考核心课题。

13. 6W3H的基础架构，帮助你分析原因

接下来，我要介绍一个比大家熟知的5W1H更为庞大的架构：6W3H（What、Where、Which、When、Who、Why、How、How much、How many）。

这个架构可用来提升分析原因时的调查技巧。虽然根据状况的不同，有些项目或许不适用于分析对象，甚至多少会发生重复的情形，但可确定的是，这个架构将有助于掌握状况。透过第28页中一连串的问题，就能够有效率地查出原因。

图表2-3　6W3H分析

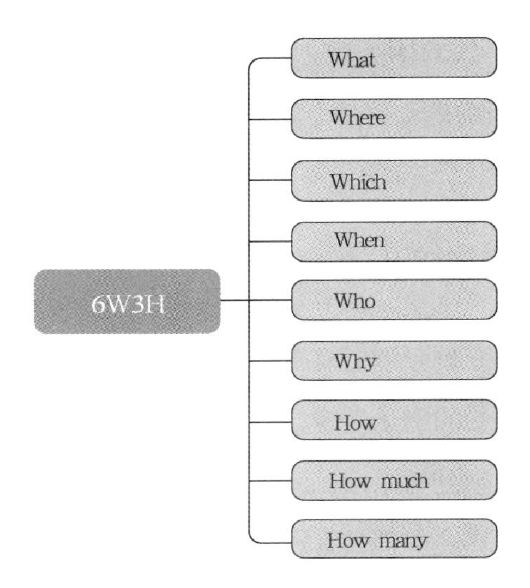

What：什么产生不良状态？什么样的不良状态？这可用于发现问题。

Where：发生不良状态的地点在何处？发生的对象在何处？这适用于确定不良状态。

Which：发生在哪个对象？这适用于面对数个性质相同的对象时，限定其中一个对象。

When：何时发生不良状态？这是以时间序列来掌握状况，有助于分析原因。

Who：为何会发生状态？这有助于询问、收集情报。

Why：为何会发生损害？这是分析原因的主轴。

How：在什么样的状况下发生？有时候这就是直接原因。

How much：损害的程度是什么？损失多少金额？

How many：损害的数量是多少？

还可以用差异分析找原因

1. 差异分析有助于分析原因

另一项有助于分析原因的分析手法，叫做“差异分析”（varlance analysis），正如其名，它可以凸显出“差异性”（这里的variance并非指统计学中的“变异数”，而是单纯指“差异”）。这种手法是将发生问题的对象与其他没发生问题的对象，做一番比较，并找出彼此之间的差异。

举例来说，在许多个相同的装置当中，有的发生故障，有的顺利运转，比较两者就可以找出其中的差异。当然，这也可以运用于公司或组织。例如，我们可以将发生问题的公司或组织，与经营得当的竞争对手或是其他部门做一番比较。另外，本书一开始提到的“分析理想与问题之间的落差”这个观点，其实就是一种差异分析。

2. 标杆学习也是差异分析

这里讨论的差异分析，与大家耳熟能详的“标杆学习”（benchmarking）有共通之处。**所谓“标杆学习”，是指从同业中选出几家被称为“实务典范”（best practice）的企业，与自家公司做比较，筛选出自身必须改善之处。**

标杆学习的运用范围很广，有些专门比较财务上的数值，有些则比较制造和销售的过程。更进一步说，一般而言，标杆学习最常使用于以下的时机：公司虽然本身并未发生任何重大问题，但是想要提高经营效率。从这个观点来看，标杆学习可以说是防范潜在型问题或追求理想型问题的差异分析。

3. 比较同一对象的变化

差异分析不仅可以用于比较发生问题的对象与运作顺利的对象，还能够用来比较同一对象在发生问题之前与之后的差异。后者是比较同一对象在发生不良状态前后的差异，因此可以说是一种具有时间序列的差异分析。

既然某事物在某个时间点发生了不良状态，就必须分析在那个时间点之前，有什么变化因素？例如：

> “前一阵子，计算机便常常死机。仔细回想，这是自从装入某个软件之后才开始发生的。”
>
> “自从更换不同牌子的机油之后，车子的引擎开始怪怪的。”
>
> “自从实行成果主义之后，这阵子公司员工的士气变得很低落。”

这些例子都是从“分析原因”的观点，对同一对象做时间序列的比较，也就是使用了探究“变化”的分析手法。当然，这种探究变化的分析不但适用于分析原因，同时也是发现问题的基本手法。

4. 当变量是好几个，分析原因就不容易

前面提到的例子都只有一种变化因素，而其他部分都没有任何改变，在这种情况下，通常很快就可以找出原因。但若是以下的例子："我装入某个软件时，还加入某个有通知功能的拍卖网站，成为会员"，或是"我更换不同牌子的机油，还换了火花塞"，那么情况就很难分析了，因为有多数的变化被视为发生问题的可能原因。

从现实情况来说，我们平常最容易遇到这类问题。这时候，你必须确认到底哪个选项才是真正的原因。**判断的标准是，用哪个选项来解释不良状态的发生最具说服力**。你可以使用前文提到的6W3H，先搜集与不良状态相关的详细信息，然后将每个选项套用在具体的不良状态上，确认出一个最具说服力的选项。

真的是这个原因吗？如何确定因果关系

Mckinsey, Problem Analysis and Solving Skill

1. 因果关系要成立，必须具备三要件

所谓"因果关系"，是指原因与结果之间的关系。但是，这种关系到底是如何成立的？事实上，因果关系要成立，必须具备三项条件。

①视为原因的因素（X）与结果（Y）之间有关联性。

②视为原因的因素（X）发生在结果（Y）之前。

③没有其他干扰因素。

所谓“相关性”，是指某因素与某因素同时发生的几率非常高。例如，“狗面向西，尾巴在东”[①]“感冒会发烧”“爬山爬越高，气压越低”这些现象中，都存在关联性。

在没有关联性的事物之间，因果关系无法成立。我们经常听到“只要他在，一定会下雨，因此他是雨神。”然而，这样的关系过于牵强附会，所以因果关系不成立。

另外，如果视为原因的因素（X）发生在结果（Y）之后，那么因果关系不成立。举例来说，车子停止之后才踩刹车，就不能说车子停止是因为踩刹车的缘故。考试合格之后才用功念书，就不能说考试合格是用功念书的结果。其原因在于，视为原因的因素发生在结果之后，所以因果关系不成立。

还有，视为原因的因素（X）与结果（Y）之间，不能有干扰因素（Z）。如果有个干扰因素（Z）让视为原因的因素（X）与结果（Y）同时发生，就必须多加留意，因为即使X与Y之间并没有直接的因果关系，Z也会让人误认为X与Y之间有关联性。

举例来说，某家公司认为迟到的频率（X）与生产力下降（Y）有关。而且，从时间序列来看，X也确实发生在Y之前。可是，如果贸然认定X与Y具有

① 日本谚语，比喻极为理所当然。

图表2-4　因果关系

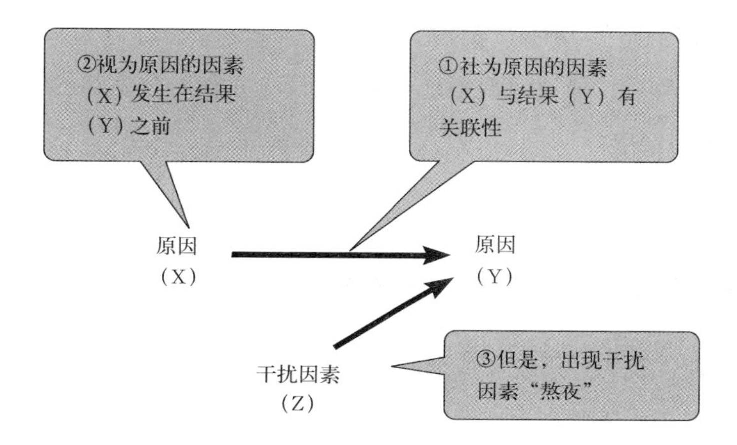

图表2-5　干扰因素的例子

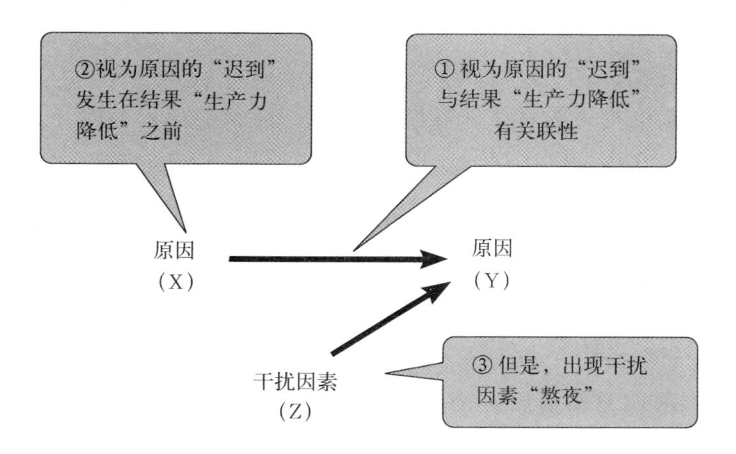

因果关系，也就是说，“因为迟到，所以生产力降低”，是非常危险的。说不定，因为熬夜（Z）睡过头，所以迟到（X）。或许，真正的原因是熬夜（Z）导致睡眠不足，所以生产力降低（Y）。这时候，即使勉强员工不要迟到（X），但只要他们持续熬夜，导致睡眠不足（X），那么工作时依然精神不济，生产力（Y）当然不可能提升。

2. 真的有因果连锁？抑或有其他干扰因素？

举例来说，我们经常说“戒烟会变胖”。但是，这或许是戒烟者戒烟后，变得食欲旺盛而大吃大喝所造成的结果。事实上，如果戒烟后依旧保持一定的食量，或许就不会变胖了。在这种“现象具有因果连锁”的情况里，我们容易将没有直接关系的因素误认为有因果关系。

除了因果连锁之外，当原因是复合式时，也很伤脑筋。其实，要从所有的因素中筛选出真正的原因，本来就是很困难的事。而且，有的现象必须是某个特定因素和其他因素加在一起才会发生。

比方说，前面提过的例子：“自从实行成果主义之后，这阵子公司员工的士气变得很低落”，如果过程中的唯一变化因素只有“实行成果主义”，那么原因大概就是如此。但是，如果同时还有其他的现象，例如公司自从草率地并购其他公司之后，业绩一落千丈，那么员工的士气低落或许是这两种因素造成的结果。

另外，当多数的因素交错在一起时，通常会因为最后一个因素而引发问题。这时候，我们很容易将最后一个因素误认为引发问题的原因，因此必须多加留意。当遇到这种包含多层面因果关系的状况时，如何理性思考，分析出真正的原因，就要看问题解决者的能力。

在本章里，我以分析原因为主轴，解说解决恢复原状型问题的方法，在这个过程中，也一并思考了“分析”和“因果关系”。面对恢复原状型问题时，只要弄清楚原因，就能逐渐找到解决策略的方向。此外，我们还确认了恢复原状型问题的解决策略，包含紧急处理、根本解决、防止复发，等等。

由于解决策略在不同的问题类型中拥有共通的要素，因此我会单独针对解决策略进行讨论。特别是对于防止复发策略，将在防范潜在型问题的解决策略中深入解说。

第3章 如何解决防范潜在型问题

- 防范潜在型问题的两大课题
- 由下而上法
- 由上而下法
- 危机管理是防范潜在问题，不是紧急处理

防范潜在型问题的两大课题

Mckinsey Problem Analysis and Solving Skil

1. 防范潜在型问题，得主动发掘

以车子轮胎的胎纹磨损为例，虽然目前轮胎没有发生任何问题，但如果搁置不管，不只轮胎容易爆胎，还容易打滑，酿成重大事故。因此，“轮胎胎纹磨损”的问题便是防范潜在型问题。

以下的例子都属于防范潜在型问题。

“工作用计算机的硬盘里储存了大量的重要数据。”

“正要外出时，发觉外面快变天了。”

“本公司和其他同业竞相推出质量和价格同等级的产品。”

“业务的秩序基于某种特定的规定在运作。”

与其等事情发生，才慌慌张张地处理，不如事先做好准备，才能做出正确的应对。真正的问题解决者，不会被动地处理已经显在化的不良状态，而是更积极地发现防范潜在型问题。

图表3－1　防范潜在型问题的课题领域

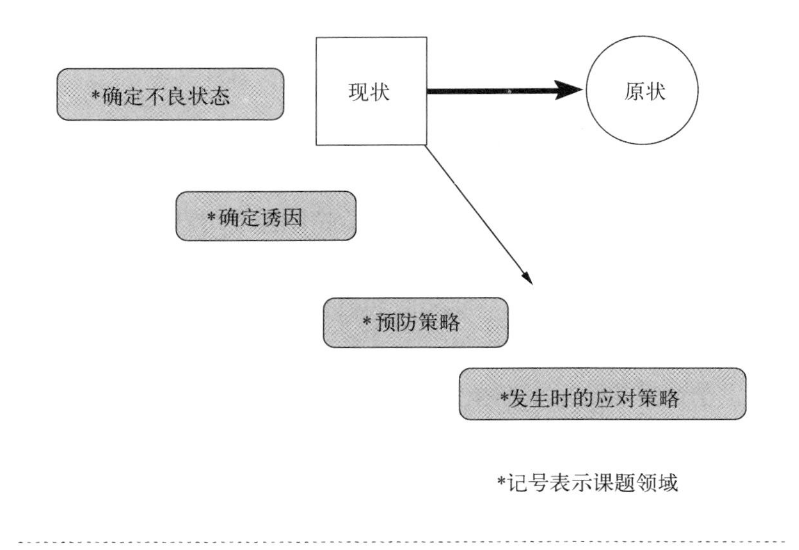

2. 基本课题：“预防”与“应对”并进

所谓“防范潜在型问题”，是指虽然目前并无大碍，但如果搁置不管，将来会发生严重的不良状态。解决防范潜在型问题时，基本课题就是拟定出防患未然的“预防策略”，以及发生不良状态时的“应对策略”。

如果要拟定出好的预防策略和应对策略，前提是找出不良状态的原因。其做法类似恢复原状型问题的分析原因，但不同的是，防范潜在型问题尚未引起不良状态，因此我们不将引发不良状态的因素称为原因，而是称为“诱因”。防范潜在型问题与恢复原状型问题的决定性差异就在于，不良状态是否显在化。因此，这两种问题的解决方法并不相同。

3. 防范潜在型问题的两种解决途径

解决防范潜在型问题有两种途径，分别是：

由下而上法：从个别的状况和现象，思考可能发生的不良状态。

由上而下法：先假设最后会发生某种不良状态，再思考可能引发这个状态的个别诱因。

无论透过哪一种途径，课题是要确定引发重大不良状态的因素，也就是引发不良状态的诱因。在确定了潜在性的原因之后，下一个课题是要思考预防策略和发生时的应对策略。

由下而上法

Mckinsey Problem Analysis and Solving Skil

1. 由下而上法的四个步骤

运用由下而上法，首先是借由分析现状，从目前能观察到的一些特定的状况或现象开始着手。由下而上法的四个步骤是：

①从现状中确定必须注意的特定因素

②假设不希望发生的不良状态

③拟定预防策略，排除可能的诱因

④预先拟妥发生不良状态时的应对策略

① 从现状中确定必须注意的特定因素

在前文中，“工作用计算机的硬盘里储存了大量的重要数据”的状况，就是步骤①。而“正要外出时，发现外面快变天了”，也是目前能观察到的个别因素。

此外，其他两个例子：“本公司和其他同业竞相推出质量和价格同等级的产品，因此本公司的产品容易受到其他同业动向的影响”“业务的秩序基于某种特

图表3-2　由下而上法

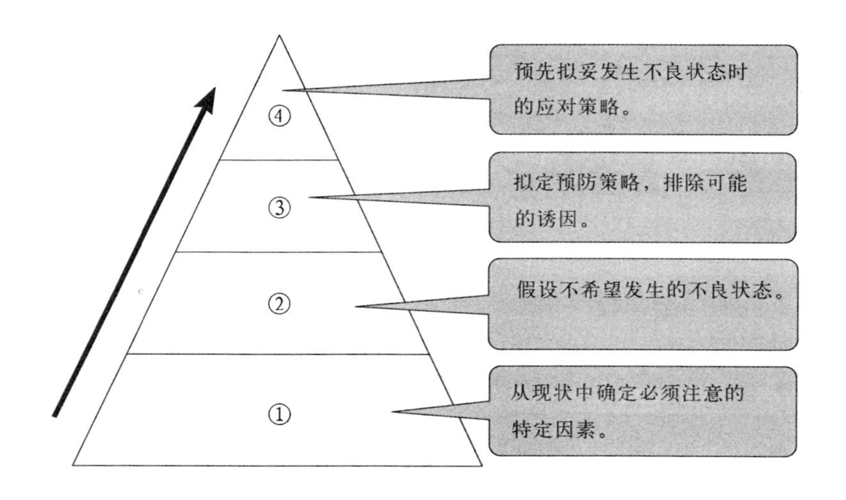

定的规定在运作，因此当规定变动时，公司将受到很大的影响”，也是一样的。

你可以运用之前提到的差异分析法进行分析，有助于在现状中确定必须注意的特定因素。

②假设不希望发生的不良状态

从现状中确定必须注意的特定因素之后，接着要具体做出归纳。换句话说，你要问自己“所以呢？”“之后会如何？”，有逻辑地思考各种可能因素。

然后，要从这些因素当中，推测将来是否会发生不良状态。如果确定最终会发生不良状态，那么你观察到的状况或现象就是潜在性的重大问题。举例来说：

状况：“办公使用的计算机的硬盘里储存了大量的重要数据。”

Q：“所以呢？”“之后会如何？”

A：“硬盘可能损坏。”

Q：“所以呢？”“之后会如何？”

A：“如果硬盘损坏，重要数据会不见。”

状况：“正要外出时，发现外面快变天了。”

Q：“所以呢？”“之后会如何？”

A：“可能会下一场雨。”

Q：“所以呢？”“之后会如何？”

A：“如果下雨，会全身淋湿！”

状况:“本公司和其他同业竞相推出质量和价格同等级的产品。”

Q:“所以呢?”“之后会如何?”

A:“其他同业可能会提升质量、压低价格。”

Q:“所以呢?”“之后会如何?”

A:“本公司会被抢走大半的市场。”

状况:“业务的秩序基于某种特定的规定在运作。”

Q:“所以呢?”“之后会如何?”

A:“规定有可能放宽或废除。”

Q:“所以呢?”“之后会如何?”

A:“将有很多新公司进入这个业务。”

Q:“所以呢?”“之后会如何?”

A:“竞争越来越激烈,利润将减少!”

这些状况的最终结果,都会引发重大的不良状态。所以,这些可能成为诱因的状况,就是问题所在。

③拟定预防策略,排除可能的诱因

确定了诱因之后,下个动作是进入步骤③。在这个步骤中,最重要的是区分可控制诱因与不可控制诱因。

比方说,即使不想被雨淋湿,可是我们无法控制天气。或者,其他公司推出新产品确实会威胁到自家公司,可是我们很难阻止别人这么做。对于政府机关所制定的规则，虽然可以派说客去游说，但是无法完全掌控。如果花太多心力去排除这些不可控制诱因，反而使你劳神伤财。

④预先拟妥发生不良状态时的应对策略

即使已经排除了可确定的诱因，还是要采取步骤②，因为即使排除了诱因，不良状态还是有可能发生。我们可以按照发生几率的高低来决定排除的顺序，从极可能引发不良状态的诱因开始着手，但不太可能排除所有的潜在因素。

事实上，要在事前找出所有的诱因是非常困难的。因此，最聪明的做法是，在不良状态发生之前，先拟妥应对策略。而由下而上法的步骤③和步骤④，与由上而下法相同。

由上而下法

1. 由上而下法的四个步骤

由上而下法这个手法，首先是从假设不希望发生的结果，也就是以最终的不良状态开始着手，再查明诱因。

如同前文确认过的，防范潜在型问题的本质其实是恢复原状型问题，只是问题尚未显在化。但严格地说，我们的目标不是恢复原状，而是如何维持现状。运用由上而下法来解决防范潜在型问题时，必须注意以下的四个课题。而步骤③和步骤④，与由下而上法相同。

①假设不希望发生的不良状态

②确定引发不良状态的诱因

③拟定预防策略，排除可能的诱因

④预先拟妥发生不良状态时的应对策略

现在，以“轮胎磨损”的问题为例，逐一检视每个步骤，看如何用由上而下法来解决防范潜在型问题。

①假设不希望发生的不良状态

一个负责任的驾驶总是注意行车安全，然而影响行车安全的不良状态有很多

图表3-3　由上而下法

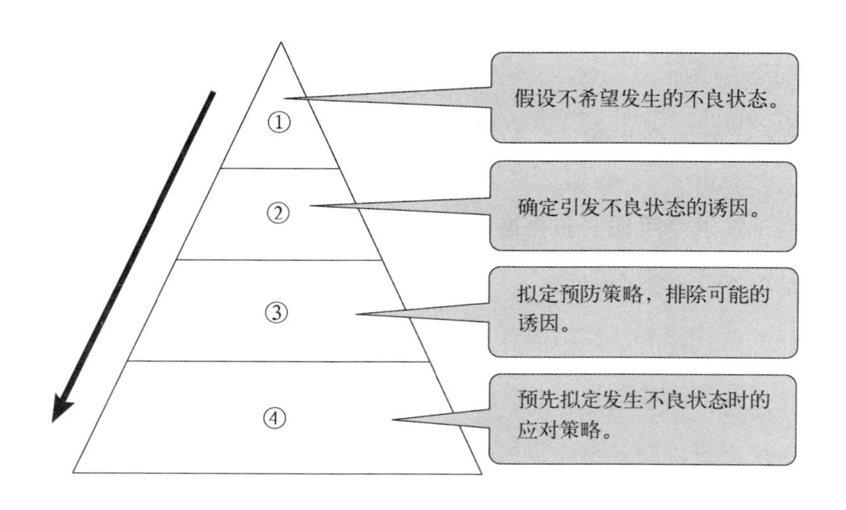

种，其中包含了车子打滑、引发事故。因此，车子打滑就是我们不希望发生的一种不良状态。

②确定引发不良状态的诱因

有许多因素会引发车子打滑，例如下雨天，特别是刚下雨时，路面的油脂浮现，容易使车子打滑。另外，猛踩刹车容易使轮胎抱死而打滑。还有，方向盘打得太猛也容易打滑。而且，使用过度磨损的轮胎，即使行驶于正常的路况，也可能打滑。

③拟定预防策略，排除可能的诱因

确定了诱因之后，就可以拟定预防策略，排除这些可能的诱因。比方说，我们虽然无法阻止下雨，但是可以选择下雨天不开车或是减速行驶。还可以避免猛踩刹车，或是学习怎么顺畅地打方向盘。

现在的车子几乎都装设了防抱死制动系统（ABS，Anti-Lock Brake System），换句话说，厂商已经帮我们准备了预防策略。不过，厂商无法预防轮胎磨损。这时候，预防策略是驾驶必须平时就做检查，如果发现轮胎过度磨损，就要去换轮胎。像这样排除一些可控制的风险因素，就是预防策略的基础。

④预先拟妥发生不良状态时的应对策略

但是，无论我们想出多么周全的预防策略，还是很难达到百分之百防患于未然的效果。因此，最好预先思考万一车子打滑时的应对策略。例如，预先练习打滑时方向盘该如何打、装设安全气囊，以及购买保险，等等。

接下来，以“硬盘”的问题为例，再次确认由上而下法的分析步骤。

①假设不希望发生的不良状态

计算机不仅在工作上，连日常生活中也是不可或缺的。与计算机有关的问题多如牛毛，然而重要资料的丢失最让人头痛。长年累积的个人通讯簿、电子邮件、财务报表、账单、客户数据等，在一瞬间化为乌有，是谁都不想遇到的问题。

②确定引发不良状态的诱因

失去数据的原因有许多种，例如个人操作上的疏失、上网中毒，或是计算机故障。还有一种原因是硬盘损坏，应该很多人都有这样的经验。另外，停电或打雷也会造成数据丢失。

③拟定预防策略，排除可能的诱因

我们很难百分之百排除人为的疏失。但是，如果接受适当的训练，就可以有效地降低发生疏失的几率。对于病毒，我们可以安装最新的防病毒软件，让计算机免于感染。另外，使用不易损坏的计算机或硬盘，也是一种预防策略。至于停电和打雷，我们可以使用不断电系统（UPS）来解决供电的问题。

④预先拟妥发生不良状态时的应对策略

但要注意的是，预防策略只是降低不良状态发生几率的手段，不保证能够百分之百防患于未然。要防止数据消失，首先要将数据备份。只要事先用其他计算机或外接硬盘将数据实时备份，就可以放心多了。这个方法可说是不良状态发生前的应对策略。也就是说，数据备份既不是预防硬盘损坏，也不是损坏之后的应对策略，而是在不良状态发生前所做的“发生时的应对策略”，是为了避免数据遗失所做的预防策略。

另外，硬盘损坏之后才尝试恢复数据，是不良状态发生后的应对策略。可是，这个方法比较耗费时间和成本，而且从现实层面来看，通常很难完全恢复。

2. 我的硬盘接二连三发生问题

事实上，在撰写这本书之际，我办公室里的两台计算机像是约好了一般，硬盘几乎在同一时间报销。有一台像时钟一样，不断发出滴答、滴答的声音，另一台则是开机后只听到读取硬盘的声音，之后再也不会动了，两台计算机都无法进入操作系统。

幸好，我事先使用了外接硬盘和笔记本电脑进行数据备份，因此损害不大，但是我仍然吓出一身冷汗。之后，办公室的几台主要计算机都装上了两台硬盘，并采用镜像同步（mirroring）的方式来备份，也就是输入计算机的数据会同时储存在两台硬盘上。

虽然很难完全预防硬盘损坏，但是我认为这不失为一个好方法，因为假如其中一台硬盘坏掉，还有一台备用。但要注意的是，这仍然无法避免人为操控的疏失，因为一旦你消除其中一台硬盘的数据，另一台的数据也会同时消除。请大家多加注意，不要搞丢重要资料。

3. 恢复原状型问题的后续处理：由上而下法

之前说明解决恢复原状型问题的课题时，曾经简单地提到防止复发策略。**就恢复原状型问题而言，最重要的是先找出正确的原因，再恢复显在化的不良状态，这时候要用到紧急处理和根本解决。接下来，必须做适当的处理，以防止同样的不良状态再次发生，这就是“防止复发策略”。**

防止复发策略，基本上与防范潜在型问题的由上而下法的分析步骤相同。唯一的不同点在于，因为不良状态已经发生，所以不需要进行步骤①“假设不希望发生的不良状态”。接下来，防止复发策略的课题依序是：

步骤②确定引发不良状态的诱因

步骤③排除可能的诱因

在上述的内容中，我们分别从由下而上法与由上而下法这两个角度，来分析防范潜在型问题。其实，各位不妨同时使用这两种方法，对于解决防范潜在型问题有很好的效果。

危机管理是防范潜在问题，不是紧急处理

Mckinsey, Problem Analysis and Solving Skil

1. 危机管理：以由上而下法进行分析

在拟定经营策略上，危机管理的重要性越来越受到重视。有许多的状况需要危机管理，例如恐怖攻击事件、黑客、经营团队做假账、员工的不法行为、投诉应对不周全、瑕疵商品、泄漏个人资料、媒体应对不周全、产品混入毒物或异物、诈欺、窃盗、强盗、地震、火灾、爆炸、事故，等等。而且，某些风险扩大后，还可能会发展成重大危机，像是经营上的危机。事实上，处理防范潜在型问题的由上而下法，可以运用于危机管理。

防范潜在型问题的解决方法流程，有助于我们了解危机管理。接下来，我用食品公司的例子，来说明危机管理的手法。

2. 产品不可能永远没问题

在食品业中，不希望发生的不良状态很多，我们将其统称为“风险”。预想得到的风险大致可分成几个范畴，首先是天灾的风险，例如发生地震、台风等灾害，其次是发生事故、遭到窃盗等风险。其中，最需要担忧的风险，莫过于会引起重大伤害的瑕疵商品，像是吃进肚子里的食品或药品，被混入了异物或

有毒物质。

在危机管理上，有两个世界闻名的案例不断被提及。一个案例发生在1982年，美国的大型制药厂商强生公司（Johnson & Johnson）所销售的知名品牌止痛药“泰诺”（Tylenol），在零售店中被人混入氰酸钾，造成芝加哥地区6人死亡。另一个案例则是在1989年，法国的饮料厂商巴黎水（Perrier）公司居然在矿泉水的制造过程中，不小心混入了苯。

3. 先设想你的可控制受损程度

先说明强生公司的案例。当时，公司内部有人提议“只要回收芝加哥周边地区的产品即可”，但是公司最后决定花一亿美元，回收美国国内所有的泰诺止痛药。之后，执行官詹姆士·柏克（James Burke）通过卫星通讯接受媒体记者访谈，事件发生后一个月内，和他对话的记者超过600人。

接着，强生公司迅速采取防止复发策略，将药物的形式从原本容易被下毒的胶囊更改成药丸，并将包装替换成能辨识有无开封过的设计。一年后，强生再度推出新款的泰诺止痛药。这款止痛药现在依然是该公司的主力商品，并且打入了海外市场。

巴黎水的案例也是一样。该公司在全世界各地回收产品，同时迅速在二十几个国家的媒体上发表道歉声明。强生和巴黎水这两家公司因为做出了正确的应对，所以泰诺止痛药和巴黎水矿泉水依然健在。

在日本，2000年夏天，雪印乳业公司也发生集体食物中毒的事件。但是，该公司在媒体方面处理不当，使得企业形象瞬间崩溃，导致雪印乳业这个品牌从市场上消失。一个品牌一旦失去顾客的信赖，要再恢复可以说是比登天还难。

4. 各部门都得进行风险分类

除了前面所概述的风险范围之外，在大型组织里，根据不同部门来假设不希望发生的不良状态，是非常重要的事。我们必须假设企业的“商务系统”（以企业经营流程作为架构，请参见第十四章）中，每个流程可能发生的不良状态及其诱因。

举例来说，当我们思考出现瑕疵商品的风险时，可以先从上游开始着手。在购买原料的阶段出现不良状态，使商品可能含有禁止使用的添加物等。这种情况的诱因是审查的过程过于马虎。

在制造的阶段中，出现瑕疵商品的情况就更多了，可能会有滋生病毒、混入异物等各种不良状态，例如焗烤用的酱料混入硅酸干燥剂、桶装方便面中混入发夹、洋芋片混入蜥蜴、葡萄汁混入塑料片、快餐干拌面有蚂蚁、面食调料包的保存期限印刷错误等，不胜枚举。而诱因也是五花八门，例如机器清洁不彻底，从业人员不够细心，等等。

如果考虑物流和卖店等下游的阶段，风险可能是运送或陈列时温度过高，使得商品质量降低，或是商品包装和内容物有毁损，等等。

5. 危机管理：确立预防策略，同时提升应对能力

如果假设了不希望发生的风险状况，并且确定了诱因，那么接着要做的是排除可能的诱因，以及预先拟妥风险显在化时的应对策略。从“排除诱因”这个观

图表3-4　风险管理的全貌

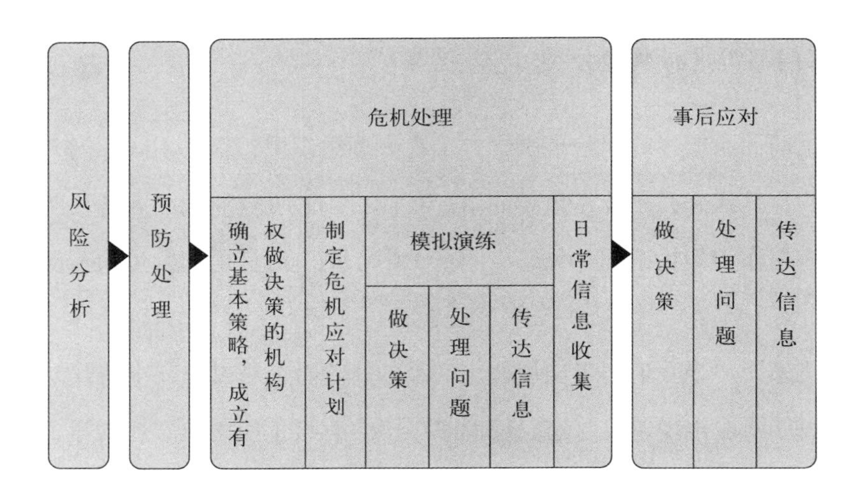

点来看，一般的做法是拟定作业程序守则。从组织的观点来看，则是将责任明确化或是让员工参加培训。为了在不良状态发生后实时应对，最好是先拟妥一份明确记载应对措施的守则。

不过，如果没有事先进行足够的模拟演练，那么费心制作的守则便无用武之地。而且，我们也无法针对所有的不良状态，将应对守则做得面面俱到。因此，最重要的课题就是提升当风险显在化时的应对能力。

关于危机管理，我强力建议大家事先成立一个危机管理团队，这个团队可以立即应付所有紧急状况，而且成员的层级必须够高。

最后一点，我认为要将媒体应对视为危机管理中很重要的元素，并且做好十足的准备。其原因在于，紧急状况所造成的严重伤害通常不只来自问题本身。就像雪印乳业的例子，因为媒体的负面报道，最后才演变成难以收拾的局面。我们应该重新认识到，发生紧急状况时的媒体应对是否适当，将成为左右企业存续的重要因素。关于这一点，第十四章将介绍“道歉启事”的架构，有助于处理这类问题。

各位可以依据前述的步骤，用解决防范潜在型问题的由上而下法，有系统地进行危机管理。

6. 风险分析就是找出潜在不良状态的诱因

我们经常听人说“风险分析”。其实，**风险分析就是找出可能会破坏现状的潜在性不良状态的诱因**。要解决防范潜在型问题，首要课题是确实做好风险分析。

恢复原状型与防范潜在型问题之间最基本的差异是，当下是否发生不良状态。因此，要解决防范潜在型问题，首先要做的是假设出结果可能的不良状态，换句话说，一开始先假设最不希望发生什么样的结果。

7. 根据风险分析制定预防策略与应对策略

总结上述，解决潜在型问题时的课题是，在分析风险之后，要拟妥预防策略与发生时的应对策略。

如果将风险分析视为“分析潜在性不良状态的诱因”，那么其基本手法与恢复原状型问题的“分析原因”课题相同。因此，回归到一开始提及的，能否解决问题考验着你的分析力。

我再次说明分析的定义，**“分析”是指将混沌的现实区分成有意义的群组后，阐明其相互关系的一种脑力作业**。“分析作业”的本质，就是筛选出问题的构成因素，并仔细分析因素之间的关系。

第 4 章

如何解决追求理想型问题

- 追求理想型问题的课题：最终目标要明确
- 实践理想：如何解决规划性课题
- 你能选定一个“明确”的理想吗？

Mckinsey, Problem Analysis and Solving Skills

追求理想型问题的课题：最终目标要明确

Mckinsey, Problem Analysis and Solving Skills

1. 追求理想型问题最重要的课题是定位理想

在前文中，我把问题归纳为三种类型：恢复原状型、防范潜在型及追求理想型，并解说如何解决恢复原状型和防范潜在型的问题。接下来，说明第三种“追求理想型问题”的解决方法。

就追求理想型问题而言，理想与现状之间的落差是不良状态的本质。前面已确认，要解决追求理想型问题，重点课题是将理想的状况定位于何处？订得太高，或许还没尽力就放弃了；订得太低，无法激发出挑战精神。就中长期来看，把理想设定高一点并非坏事。然而，一旦下定决心要追求理想，就短期来看，最好设定一些具体且可能达成的阶段性理想（目标）。

因此，我首先介绍理想已决定时的状况，然后讨论理想尚未决定时的状况。

2. “是否真的决定追求理想？”抑或“现在这样就可以了”

解决追求理想型问题的第一步，在于弄清楚自己是否真的要追求理想。相较之下，不良状态已经显在化的恢复原状型问题，是追求恢复原状；而可预测不良状态的潜在型问题，则是追求预防未来的不良状态，这两者都是一种先验性的假设。当然，你可以选择搁置问题不管，但正因为你认为这样的举动绝非明智之举，所以才会不断思考如何解决问题。

相对地，在追求理想型问题中，无论是现状或未来，都没有极大的不良状态，即使搁置不管，也不会有太大的困扰。**因此，追求理想型问题的出发点必须基于一种价值观，那就是追求理想是较佳的选择。**

可是，在过程中，如果追求理想的成本耗费过大，有可能中途被迫中止。当然，不一定要完全放弃，也可能借由调整理想的标准来减少成本。例如，原本希望成为医师，后来改为药剂师。当不上律师，也可以改为律师助理。

3. 规划性的思考，而非战略性思考

理想与现状之间的落差，往往因为当事者的价值观、立场、时间点而异。举

图表4－1　追求理想型问题的课题领域

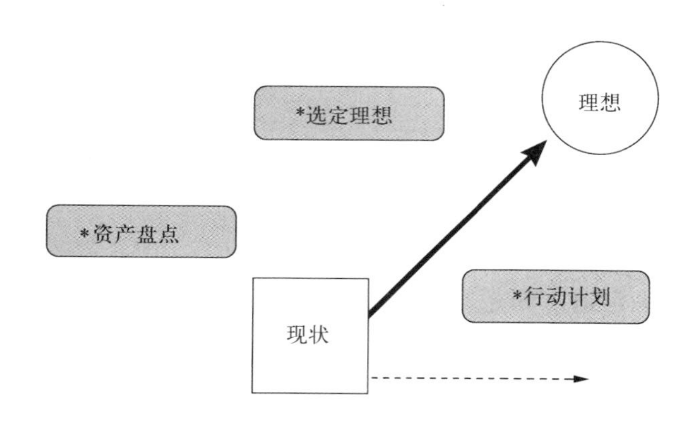

例来说，当我们思考个人的理想（目标）时，可能有以下的状况。

"我想当律师，帮助弱小。"

"我希望体重至少减10公斤。"

"我想成为会计师，生活较稳定。"

"我想成为高尔夫球选手。"

"为了有更好的发展，我希望取得MBA学位。"

"身为一家之主，我希望拥有一栋房子。"

如果你明确地想要从事某种职业，或是取得某种证照，那么在设定课题时，你可以提出规划性（operational）的设问，像是"我该怎么做，才能建构出理想的职业规划"。而解决策略的内容，便是拟定并执行切合实际的行动计划。

相对地，如果不清楚想要从事什么样的职业，或者是取得哪种证照，就必须先决定目标。这时候，课题设定需要更具战略性（strategic）的设问。也就是说，你的设问必须是"我该如何进行职业规划"。

另外，如果你担任某项事业的主管，可以在经营规划上提出更具体的课题设定，例如"该怎么做，才能达到本期的营业目标"，那么它的前置作业便可能是战略性的课题，例如"与去年同期的营业额相比，本期的目标应该设为多少"。更进一步深入，课题设定可能会触及事业部门的存在意义，像是"本部门的任务是什么"。

综合前述，假如你心中已有最终目标的理想形象，那么在追求理想型问题的课题设定上，就会是规划性的课题："我该如何达到理想"。换句话说，当你拥有清楚的目标时，为了达成目标，你必须在切合实际的行动计划上，不断问自己要"如何做到"。

实践理想：如何解决规划性课题

1. 行动计划的四要素

假如一位30岁的普通上班族有这些理想（目标）：“拥有一间房子”“取得MBA”，那么他必须考虑自己“该怎么做”。要解决“该怎么做”这种规划性的课题，必须拟定包含以下四个项目的行动计划。

图表4-2　解决规划性课题的步骤

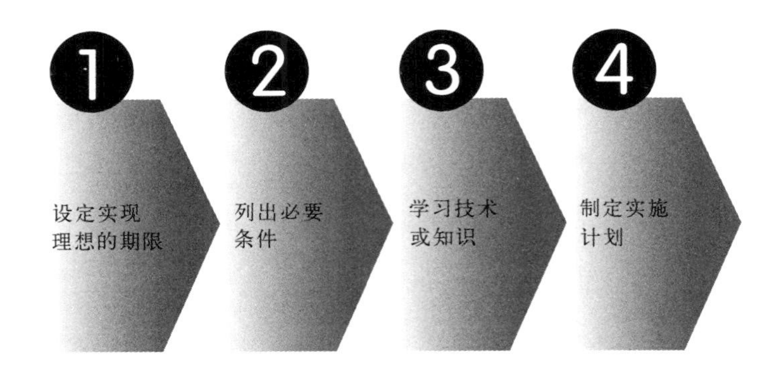

①设定实现理想的期限

②列出必要条件

③学习技术或知识

④制定实施计划

①设定实现理想的期限

首先，最重要的课题是设定合理的期限。总是想着“改天再来做”，永远也不会有具体的行动。可是，如果将期限设定得太短，也会发生障碍。所设定的期限最好是适度、充裕，却又带点紧迫感。

举例来说，假如一位30岁普通上班族的理想（目标）是“明年要买一栋房子”，那么他即使再怎么努力，都很难实现。最好是以三至五年为单位来思考，比较符合现实。相反地，以年龄来考虑，假如他想在40岁之前取得MBA，那又嫌太晚。如果只是想要增长学识，则另当别论。一般而言，为了工作取得MBA学位，至少得在35岁以前。总而言之，首先替目标设定一个符合现实的期限。

②列出实现理想的必要条件

其次，列出实现理想前的必要条件。这些条件往往成为达成目标的障碍。举例来说，要拥有一栋房子，必要条件是必须先准备头期款，当然还需要准备其他的经费或是贷款，等等。

如果想要取得MBA学位，那么必须先筹措学费。而且，不能只想到实质上的花费，还必须将“机会成本”纳入考虑，例如在学校念书时会“失去上班的收入”。假如你的目标是出国留学，语言能力是必备条件。想在美国念MBA，必须在GMAT这项入学考试中取得好成绩，还要请人写推荐函。而且，应该还有许多其他的必要条件，你必须在这个阶段将它们列出来。

③学习实现理想必备的技术或知识

为了达成目标，必须完成必要条件，而为了完成必要条件，必须先找到资源。因此，在了解必要条件之后，下一步就是学习技术或诀窍以完成这些条件。

不一定要在事前做好所有的准备，而且现实上也不太可能做得到。然而，信息就是力量，你可以尽量向身边的人求救，学会实现理想的技术和知识。也可以寻找一些专业杂志，或是利用公家机关的资源。在情报搜集的阶段，朋友是很好的管道，网络也是强而有力的帮手。即使是需要付费的信息，只要对方是值得信赖的建议者，多花一些成本也值得。

④制定实现理想的实施计划

就实现理想而言，制定实施计划是非常重要的步骤。不管如何设定期限，或是列出为了达成目标必备的事项和技术，但如果没有用时间轴来串联这些东西，那就伤脑筋了。因此，你必须制定出留意细节的实施计划，安排出具体的顺序。没有方向的活动很难有成果，而“实施计划”这个步骤能为活动带来方向。另外，必须注意不要将活动和成果混为一谈。

实务上，一般运用“甘特图”（Gantt chart，也称为“条状图”，请参见图表

4-3）来呈现计划的实施进度。甘特图的纵轴表示计划的必要实施项目，横轴不仅标示日程，还用带状横线来表示各个实施项目的进度。甘特图最常用于管理工厂人员和工程进度，横轴表示时间，而纵轴上记载了人员和制造设备等，显示出每个工程的开工日和完工日。

甘特图不需要做到完美。重要的是，将想要完成的最终目标落实在平时的具体活动上，累积平日的小成果来达成最后的大目标。例如，铃木一朗的名言："我的目标是下一次打击时击出安打""伟大的纪录也是从一次次小小的纪录累积而来"。由此可见，千里之行始于足下。

2. 用PERT／CPM最有效

接下来的部分可能涉及一些专业知识，不过有助于制定规划性的课题和实施计划。我将概略介绍"计划评审技术／关键路线法"的手法。

所谓"计划评核术／要径法"（PERT／CPM，Program Evaluation and Review Technique/Critical Path Method），是一种被称为"运筹学"（Operations Research）的研究方法。它起源于1957年，是美国海军为了制造北极星导弹，而开发出来的日程管理方法。

军方用这个方法替各个作业之间的关系，画出脉络清晰的网络图。从这样的图表（请参见图表4-3）中可以知道，如果要完成该计划，要先从哪个作业项目着手，并且何时开始、何时结束。

透过这个手法，能够有效率地找出瓶颈。而且，当该计划可以追加作业费用以缩短完成时间时，这个手法可以判断缩短哪个作业的时间所需要的费用最少。

图表4-3　甘特图和PERT图的图例

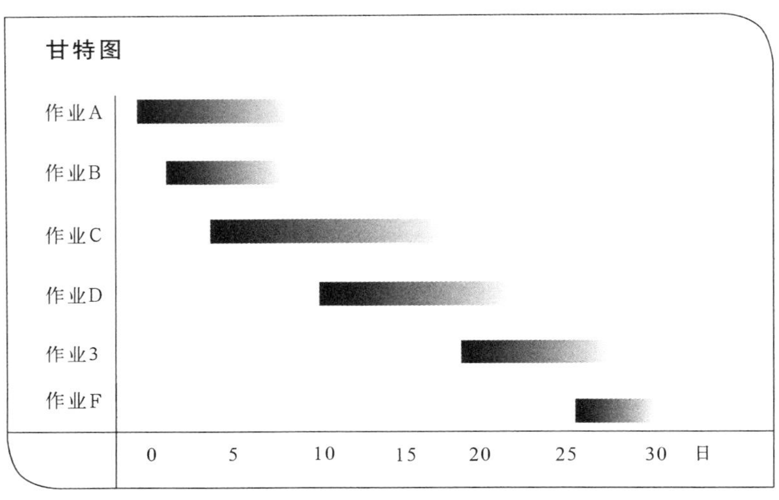

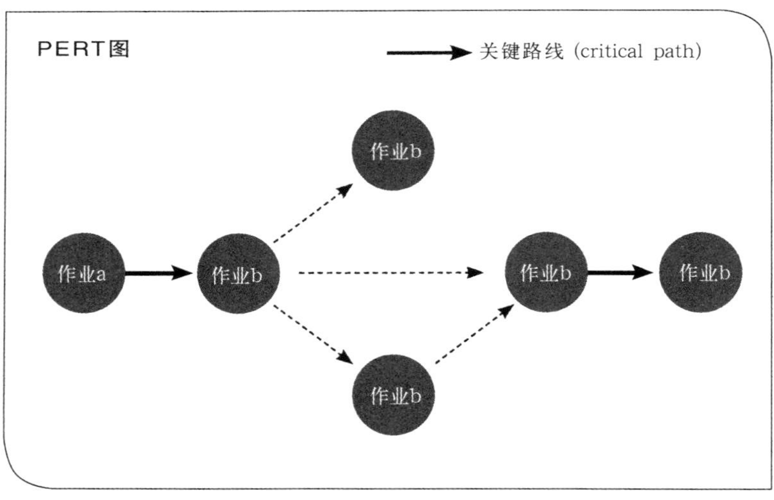

你能选定一个“明确”的理想吗?

Mckinsey, Problem Analysis and Solving Skill

1. 理想，经常并非那么明确

如果最终目标（也就是理想）具有明确的形象，可以依照以下四项课题，来拟定行动计划：设定实现理想的期限；列出必要条件；学习技术或知识；制定实施计划。

如果理想形象、目标本身并不明确，该怎么做？在日常生活中，我们常会觉得某些事情虽然目前没有很大的麻烦，或是出现重大的不良状态，但又隐约感觉它们“可以更好……”有时候，则是明明对现状不满，却又说不出明确的目标是什么。

这种状况可以说是“从一开始的原状就不顺利”的恢复原状型问题。如果从一开始的原状就不顺利，那么到底要恢复到何种程度？这便成了棘手的事情。

2. 现状分析，难以导出明确的理想

我们很难借由分析现状来引导出理想形象，无论把状况分析得多么细致，也只能表明目前的状况，无法浮现出理想的形象。其原因在于，我们的价值观会深深影响理想的样貌，而价值观的本质是规范性的，要从记叙性的现状分析引导出

价值观是很困难的事。

回顾前面“要拥有一栋房子”的例子。在思考这个目标时，会做很多比较，例如该买独栋楼房或是大厦公寓；比较房子的经济效益、便利性、心理满足度。接着，对照自己内心的价值标准，像是“经济效益高比较好”“便利性高比较好”“心理满足度高比较好”，等等。经过这样分析状况的过程，最后才会下判断：“拥有这样的房子最理想”。

同样地，假如某人希望取得MBA学位。当我们思考这个目标时，起初只能够分析出，这是在“希望提升经历”的价值观下，把MBA当做有效达成目标的手段。如果继续深究下去，会出现另一个疑问：“为什么希望提升经历呢？”我们可以隐约察觉其背后的价值标准：“经济效益高比较好”“心理满足度高比较好”。

但是，如果我们只分析状况，那么不管如何深入，还是无法导出价值观本身，像是“经济效益高比较好”或是“心理满足度高比较好”。这是因为价值观并非自明之理。

3. 价值观明确，状况分析能得到理想的具体形象

换句话说，唯有各式各样的价值标准为已知条件，才能够通过分析状况，引导出“理想形象”这个追求价值的手段。比如说，思考个人问题时，最好根据自己的价值观列出“目标列表”，这样比较容易勾勒出具体的理想形象。**可以试着从健康、家庭、职业、经济、社会、精神、兴趣等各个层面，具体规划自己的梦想和理想**。而且，先从重要性较高的部分开始挑战。

换句话说，这个方法是以自我的价值观为基础，追求属于自己的理想形象。

既然价值观因人而异，那么所追求的理想自然多种多样。我们不需要追求既成的理想，应该追求量身定做的理想。

4. 随着时代变迁，理想也会改变

即使基本的价值观维持不变，但是理想形象往往会随着环境或时代的变化而改变。

举例来说，从历史的角度来看企业的理想形象。从以前到现在，虽然有各式各样的制约，但是企业的最终目标依然是创造利润、永续经营。“合理获利”这个价值观，可说是长久以来并未改变。但是，回顾企业的历史，在各家企业追求“合理获利”价值观的同时，“理想形象”这个追求价值观的手段，也随着经营环境变迁而改变。我们可以从企业经营目标的变化，清楚地看到这个改变。

5. 以前，企业的目标是成为大型企业

在日本经济高度成长期（1958年至1973年），企业的目标着重在扩大市场占有率。在那个规格统一、大量生产的时代，大家都大量制造同一种产品，使得单一产品的固定成本下降。在制造产品的原料方面，也可以因为大量采购而享有折扣优惠。换句话说，在那个时代，大家注重的是如何达成规模经济。如同综合商社互相竞争达到总营业额第一，当时所谓的理想企业就是大型企业。

不仅在商业上，社会大众也非常热衷于追求规模。作曲家兼指挥家山本直纯（2002年去世，享年69岁）有一句风靡一时的广告词：“大就是好”，我想老一辈的人应该记忆犹新。

6. 1980年代的理想是收益最高

经济高度成长期也是交通拥堵和事故频发的时代。1973年的石油危机时，“狭窄的日本，急着去哪里？”这句口号，像是宣告上个时代的结束一样流行起来。这句口号原是用于防止交通事故，却无意中传达出，整个社会对于“规模和效率至上”的价值观已经转换了。

经历1973年和1978年两次的石油危机之后，1980年代成为反省的时代，日本大众开始反思过去对于“大”的迷思。最具象征性的事例，就是三菱商事（知名综合商社）在1986年，决定要放弃竞争营业额，转而重视获利。从三菱商事的自省：“难道规模越大，一定越赚钱？”，就可以看出企业已将目标改为确保获利。

图表4-4　甘特图和PERT图的图例

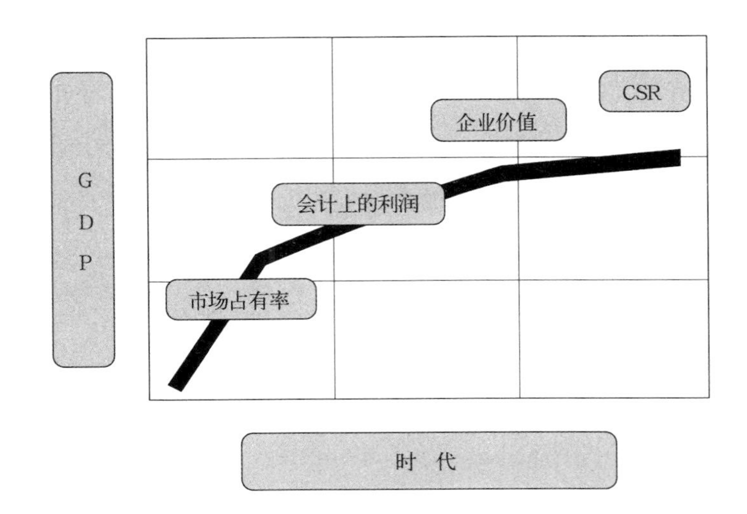

7. 经济崩溃后，重视企业价值和CSR

1980年代后期，泡沫经济崩溃。进入1990年代，以投资信托和年金基金为代表的投资机构抬头，“增加‘经济附加价值’（EVA，Economic Value Added）”“企业价值管理”“股东价值管理”等企业目标，越来越受到重视。这时候，“利润”这个目标的概念，已经从过去会计上的“利润”，被重新定义为比现金流更为广义的经济利润。

现在这个时代，讲究“企业社会责任”（CSR，Corporate Social Responsibility），亦即企业必须对它所有的利害干系人负起责任；利害干系人范围广泛，包括了顾客、股东、从业人员、客户、附近居民、投资人、金融机关、政府监督单位，等等。现今，要求企业所担负的社会责任，已经远远超过从前企业在经济和法律上的责任。人们已普遍认为，对地方有贡献、遵守伦理、拥有名望等“具社会性”的企业，才能在21世纪赢得众人的掌声。

企业的主要目的是获利与存续，这一点从未改变。但是，随着环境的变化，“经营目标”这个手段以及“利润”的定义，已经与时俱进而有所改变。

8. 追求理想时，不要混淆了手段和目的

无论你是否设定了理想形象，请注意不要混淆了“实现最终价值”与“追求理想”，前者是目的，后者是手段。

举例来说，在个人层面上，某人为了实现“增进健康”的目的，将购买理想

的健身器材当做手段。但有一天，他发现自己把购买器材当做目的了，因为他买了一堆健身器材，却很少使用。

在企业层面上，某家公司的目的是响应消费者喜欢便宜产品的需求，那么手段应该是大量生产同规格的产品以降低成本，但是该公司却在不知不觉中，将大量生产相同规格的产品当做目的了。因为消费者的需求已趋向多样化，但公司却只顾生产廉价商品，导致业绩滑落。

在追求理想之际，必须时常自省最终想要实现的价值和目的是什么，否则很容易将手段与目的相互混淆了。

第 5 章

如何以“分析”发现问题

- “发现问题”是很重要的能力
- SCQA分析，帮你发现问题、设定课题
- 自己找问题，实践SCQA分析
- 向客户做提案时的应用窍门

Mckinsey, Problem Analysis and Solving Sk

“发现问题”是很重要的能力

Mckinsey Problem Analysis and Solving Sk

1. 解决问题的原点在于“发现问题的存在”

我在前言中提过，解决问题的原点在于发现问题的存在，换句话说，就是发现期待的状况与现状之间的落差。为什么呢？因为，在问题没被发现之前，当事者并未认知到有解决的必要，当然也不会采取行动。

当我们每天为例行公事忙得团团转时，其实很难察觉问题的存在。不过，当落差越趋明显，任谁都能轻易察觉，而一旦问题演变到这个阶段，往往很难收拾。因此，最好在初期阶段、事态尚未扩大时就发现问题。

K（32岁，男性）在一家电熔炉厂上班，任职业务企划部门。该公司制造的电熔炉可将铁屑熔化及精炼，用来生产钢材。相较于大型的熔炉企业，该电熔炉厂商无论在规模和生产量上，都属于较小型的公司。K每天都忙着协调各个部门的业务，并制作会议数据。以下是K与S课长之间的对话：

S：K，你过来一下……之前请你整理的热轧钢卷的数字，我看过了，我觉得成长似乎有些停滞。

K：是吗？（看资料）可是，销售总额越来越高呢。

S：不过，成长率似乎减缓下来……（一边按计算器）唉，比计划目标低很多耶。

K：您这么一说，的确是这样子……

S：咦，电镀钢板的趋势也有些问题喔！

K：是吗？

S：K，你看清楚。你的工作不是只要记录数字，整理数据就好！制造部门完全跟着我们预测的成长率，不断进行生产。你提供这种数字，到时候会造成一堆库存。这份报告太糟了，赶快重新处理。

K：是，我知道了，真是抱歉……

K似乎没发现问题的存在，他最大的问题在于没发现成长率的变化。不管是销售总额的演变或是人员的行动，**发现问题最重要的关键是对变化要够敏感。**

2. 问题必须靠自己找出来

或许有人暗自忖度，所谓的“问题”，就是由别人提供已知条件给自己。没错，确实有这样的情况。至少在学生时代，问题便是由教师提供，而且所谓优秀的学生，是指能够针对教师所提出的问题，有效率地提出正确解答的学生。可是，在现实社会里，少有主管会像教师布置作业一样来对待下属。

美国前总统乔治·布什的母校哈佛商学院，流传着一则笑话。有的企业主认为：“哈佛商学院的毕业生到社会工作后，没有人肯实际行动，直到有人给他们个案研究为止。”该校很有名的地方就是，所有课程均以个案研究的方式进行。在教师给予个案（问题）之前，学生无法预习，教师也无法上课。换句话说，没接收到问题就不会采取任何行动。这则笑话讽刺了哈佛商学院被动的态度。

不管其真实性如何，被动的态度并不可取，解决问题的出发点就是要积极发掘出问题所在。

3. 自己权限内的问题，才是“能解决”的问题

人们经常说：“应该以大格局看事情。”这句话是在建议，**看事情不能只挖掘细节，要用更开阔的视野来掌握事情的全貌**。换句话说，不能只看每棵树木，还要俯瞰整片森林。从“解决问题”的观点来看，这种掌握整体状况的角度也很重要。但要注意的是，当你对于该问题没有权限时，也无法解决它。

举例来说，负责东京地区销售的业务员N，即使发现“本公司的问题在于，欧洲的销售渠道太弱”这个恢复原状型问题，意义也不大，因为从“解决问题”的观点来看，N能做的只限于他的职责范围。

欧洲的销售渠道与期待的状况产生落差，对公司而言或许是很重要的问题。但是，欧洲的销售渠道不是N的业务范围。他不但无法解决问题，反而成为纸上谈兵。所以，最重要的是先专注于自己的工作范围，先在自己有权限的地方发觉问题。**要拥有大格局的视点，但别超出自己的权责范围，要以当事者的身份脚踏实地解决问题。**

4. 问自己六个问题，有助于发现问题

解决问题的出发点在于发现问题。接下来，介绍几个具体的技巧，帮助大家事先发掘问题。问自己以下六个问题，将有助于发现问题。例如：

“现状与期待的状况之间有无落差？”

“现状有没有发生什么变化？”

“是否觉得哪个部分进行得不顺利？”

“是否有些事情未达标准？”

“有没有哪些事情不是你原先期待的状态？”

“若置之不理，将来是否会发生重大的不良状态？”

回答这些问题，有助于你辨识问题的类型：恢复原状型问题、将来可能发生不良状态的防范潜在型问题，或是超越现状迈向理想的追求理想型问题。自问自答这几个问题，能帮助你掌握具体的问题，并确认每个问题的本质。

Mckinsey, Problem Analysis and Solving Skill

SCQA分析，帮你发现问题、设定课题

Mckinsey, Problem Analysis and Solving Skill

1. 发现问题和设定课题，SCQA分析最好用

前面我们已经确认，解决问题时发现问题和设定课题有多么重要。另外，问题未必是别人给你的，必须自己主动发现问题，并设定课题。

那么，怎样才能有效率且切实地发现问题，并设定出贴近问题本质的课题呢？无论问题或是课题都不会凭空出现。虽然有时候可以凭直觉，但最重要的还是脚踏实地分析状况。

我推荐一个麦肯锡顾问公司经常使用的方法，叫做SCQA分析（Situation-

Complication−Question−Answer Analysis）[①]。使用这套分析工具，能有效地持续掌握发现问题与设定课题的过程。

2. 借由描述状况，设定问题和课题

所谓SCQA分析，是透过描述当事者的心理及状况，在发现问题的过程中，以设问的方式刻画出课题的问题接近法（各步骤请参见第76页的图表5−1）。

SCQA分析的第一个步骤，是预先确认当事者的具体形象，无论当事者是人或公司。

第二个步骤，是描述当事者过去的经验、目前稳定的状态和心中的理想，以及未来的目标。这是SCQA中的S，也就是“状况”（Situation）。在S当中，可以穿插对于当事者的描述。

第三个步骤，是假设一个正在颠覆目前稳定状态的事件。假设事情的进展变得非常不顺利，或是在目前稳定的状态中，发生了严重的不良状态或障碍。这个步骤是C，也就是“障碍”（Complication），可以说是问题。在这个阶段，你会发现问题的存在，也就是现状与期待的状况已产生落差。C不一定是指不良状态，它代表某事件颠覆了目前稳定的状态。因此，或许危机就是转机，C也可能是千载难逢能实现理想的契机。在这个阶段，必须分辨出自己的问题是属于三种类型中的哪一种。

下一步，是在SC的过程中，用自问自答的形式来假设各种课题。**这是第四**

---

① 编按：这就是金字塔原理写作与分析架构。

个步骤的Q，也就是“疑问”（Question），可说是课题。Q本身能反映出对当事者而言的重要课题。对于所有的问题类型而言，在分析原因、紧急处理、根本解决、预防策略、防止复发策略、选定理想等重要的课题领域当中，Q都是设定具体课题的步骤。

最后的第五个步骤，即是思考出Q的解答。这是A，也就是“回答”（Answer）当事者的核心疑问，可说是解答。这里的A，指的是思考假设性的解答方案，其中还伴随了筛选及评价替代方案。

3. 利用“说故事”，强化SCQA分析

描写当事者碰到的状况以及心理活动的转换，就可以勾勒出问题的全貌，并且直指本质性的课题，这就是SCQA分析的精髓。其实，世界上有很多故事的起头都是SCQ的模式，我最喜欢用家喻户晓的“桃太郎”当做例子。

“很久很久以前，在某个地方住着一对老公公和老婆婆。”以SCQA分析来看，故事开头的第一句话便明确指出当事者，属于第一步骤。虽然“桃太郎”的主角是桃太郎，可是故事一开始时，他还没出生，因此请大家先把老公公和老婆婆当做当事者。事实上，开头这句话虽然很短，却几乎涵盖了5W1H的70%的信息。

尽管信息的涵盖范围很广，然而“很久很久以前，在某个地方住着一对老公公和老婆婆”这句话太抽象，描述方式也暧昧不明。“很久很久以前”是多久？“在某个地方”是哪里？但其实，抽象的描述能刺激想象力，读者能通过想象，让故事越来越壮大。

然而，从解决问题的观点来看，在实际运用SCQA分析时，对于当事者的描述要具体，避免使用“很久很久以前，在某个地方……”这种用法。假如主角是

图表5-1　S—C—Q—A分析

Protagonist （主角）	Situation （状况）	Complication （问题）	Question （课题）	Answer （回答）
具体描述当事者的价值观、具特色的行动准则等。	描述目前安定稳定的状态，无论好坏。	假设一个事件或障碍，颠覆稳定的状态。	针对这个问题，假设一个对主角而言最重要的疑问。	提出解决课题的手段，必须具有说服力。

图表5-2　S—C—Q—A分析（桃太郎案例）

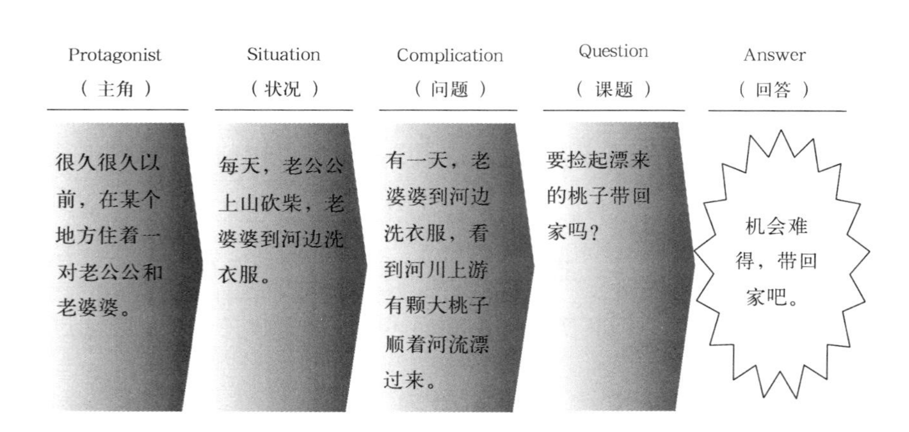

不特定多数的“消费者”，那么可以在众多消费者中找出共通的特征，并且运用想象力去投射在具体的人物形象上。

4. 稳定的状态：S

回到桃太郎的故事。“每天，老公公上山砍柴，老婆婆到河边洗衣服。两人和睦相处，过着安稳的生活。”这部分是S（状况），描写当事者稳定的状态，是SCQA分析的第二步骤。所谓“稳定的状态”，不一定是平安无事。即使是艰困的状况，只要是稳定持续，都属于S。

“很久很久以前，在遥远的银河系……某个文明为了生存而奋斗，对抗邪恶帝国和黑暗势力”（It all began in a Galaxy, far, far away, very long time ago...a civilization's struggle for survival against the evil Empire and the Dark Side of The Force.），是大家都很熟悉的电影《星际大战》（Star War）的片头旁白。奋战是个艰难的状态，但只要是长久且持续性的，一律视为“稳定的状态”。

5. 颠覆稳定的C，其描述就是“发现问题”

“有一天，老婆婆和平时一样到河边洗衣服，看到河川上游有一颗很大的桃子顺着河流摇摇晃晃地漂过来。”假如老婆婆每天到河边洗衣服时，从未碰过这样的状况，那么对老婆婆而言，这便是一个重大事件。我们可以把这个状况视为C（问题）。老婆婆发现了“桃子从河川上游漂过来”这个问题，相当于SCQA分析的第三个步骤。

我们再深究老婆婆发现的问题是属于哪种类型。如果从“干扰老婆婆安稳的洗衣活动”这个观点来看，它属于恢复原状型问题。但是，如果从“桃子漂过来”的观点来看，由于老婆婆想把桃子拿给老公公当点心吃，这是个难得的机会，因此它属于追求理想型问题。

6. 由C诱发的Q，是当事者的课题

老婆婆在发现“大桃子漂过来”这个问题之后，或许脑海里浮现出一个疑问：“该放过这么大个的桃子吗？还是该带回家给老公公当点心吃？”以SCQA分析来看，这样的疑问反映出当事者关心的事，属于Q（课题），是第四个步骤。这可说是老婆婆的一个具体课题。“该不该带回家？”这个疑问，是追求理想型问题的根本课题，其实就是一个设问：“该不该追求这个理想？”

这时候，她心想：“机会难得，应该带回家”，又想着：“不，这种来路不明的东西，让它漂走比较好。”这个部分属于A（回答）。由于这个例子的课题设定属于“是或否”的类型，因此不存在带回家以外的替代方案。这是SCQA分析的第五个步骤，也是最后一个步骤。

7. 贴近本质的课题最重要

我们把解决方案（思考答案）这件事挪到后面，先回到正题，也就是设定课题。

这里假设的课题是“该不该追求理想？”，也就是“该放过桃子吗？还是该带回家？”这样设定课题，贴近现实，很不错。另外，我们还可以假设其他几种可能的疑问，例如“世间真的会有这么大个的桃子吗？”或是“这个桃子好吃吗？”这样设定课题，更接近本质。

我们首先来看“世间真的会有这么大个的桃子吗？”这个很重要的课题，因为这个疑问关系到追求理想的机会是真是假。当下，眼前确实漂来一个桃子。因此，如果老婆婆信任自己对于状况的掌握，并且判断追求理想的机会为真，那么自然会切换到下一个课题：“要不要带回家？”

相反地，如果老婆婆认定“世上不可能有那么大的桃子”，将眼前的状况视为假，那么她或许会怀疑自己的视力是否有问题。假设老婆婆视力正常，她或许会认定，自然界中不可能存在这种东西，因此这并不是追求理想的机会。如此一来，她最后应该会判断：“不要带回去比较好。”

8. 选出最重要的疑问作为课题

那么，“这个桃子好吃吗？”这个疑问，与“桃子漂过来”的状况一样，必须先判断它是不是追求理想型问题。“该不该带回家？”这个疑问，可以帮助我们决定是否追求理想。其原因在于，如果桃子好吃，可以考虑带回家，如果不好吃，就让它漂走。

假设性的疑问越来越多。当追求最贴近本质的课题设定时，必须不断扪心自问：“回答这个疑问时，是以何种信息作为判断依据”，将有助于找出最重要的疑问。而这个最重要的疑问，就是最重要的课题。

稍微整理一下，对故事中的老婆婆而言，最重要的疑问（也就是课题）是“要不要将所面临的追求理想型问题，视为追求理想的机会。”弄清楚这一点之后，就要进行规划性的课题，也就是拟定“从河中拾起桃子搬回家”的行动计划，并且付诸实施。这对老婆婆而言不算困难。

但是，真正恼人之处是，这颗桃子到底好不好吃，得先搬回家试吃后才会知道。换句话说，她必须先付出成本，才能确认结果能否产生利益。无论如何，最后里面生出桃太郎，是好的结果。但是，那个桃子到底吃起来味道如何呢？

SCQA分析，是一种能有效率地发现问题和设定课题的架构。将SCQA分析与问题类型的重要课题领域加以融合，就能够有效率地找到老婆婆的重要课题："该不该把漂来的桃子带回家？"

自己找问题，实践SCQA分析

1. SCQA分析实例

为了让各位读者更加了解SCQA分析，接下来我要介绍另一个事例：一家美国制药公司巴尔丹（公司名为虚构），想以主力产品气喘药"希拉利"（药名为虚构）打入日本市场。以下是该公司讨论出来的宣传策略。

2. 第一个步骤：S——原本稳定的状态描述

1980年代，本公司"巴尔丹制药"从美国的"企业工业公司"独立出来，成为专门生产药剂、科研产品的企业。创立3年以来，本公司的营业额成长3倍。其中利润率最高的医药品部门，预估通过新药的投入，在2004年以后，更进一步扩大事业规模。目前，本公司抗癌药物的全球市场占有率为第二位。未来，将夺下全球抗癌药物的龙头宝座，并计划尽快开拓新领域，打进基层医疗（primary care）市场。

应对这个成长策略所开发出的气喘药“希拉利”，去年已在芬兰、爱尔兰、美国销售，明年将在英国、法国、德国、意大利、加拿大等国家上市。

这是S（状况），也就是稳定的状态，表示目前的成长都很顺利。而下一个步骤是发现问题的C（问题）。

3. 第二个步骤：C——颠覆现状、发现问题

本公司预计两年后在日本上市新药“希拉利”。由于这是本公司在呼吸道相关领域的第一项产品，而且日本市场的规模仅次于美国，因此寄予厚望。尤其，在这30年间，日本成人罹患气喘的比率增加了3倍，估计往后还会持续扩大。

但在日本，对手X制药已经推出新药“巴特拉”（药名为虚构）（年营业额达100亿日元），是市场中唯一的白三烯拮抗剂（Leukotriene antagonist，口服抗过敏药剂）。紧追在后的是，正在开发阶段的本公司的“希拉利”以及Y公司的“XR645”（药名为虚构）。预测“希拉利”在白三烯拮抗剂的市场排名是第二。

然而，对本公司来说，呼吸道相关药品是全新的领域。并且，对于诉求对象，也就是医师而言，本公司的强项向来是“癌症、循环系统”药品。对于患者而言，本公司在企业的知名度和认知度上还需要加强。

更进一步说，“希拉利”在产品上与“巴特拉”没有太大的差别，加上当地规定产品在上市前不得打广告，因此必须提前进行沟通，让大家认识疾病与疗法，以明确希拉利在该领域中的定位。

在第二个步骤C中，不仅显示了在有成长机会的市场里，已存在着竞争对手，还指出了巴尔丹公司本身的问题。C帮助当事者发现问题。如同各位察觉的，以问题类型来说，这个案例属于追求理想型。巴尔丹公司在追求理想的过程中，同时还碰到了阻碍。

接下来是步骤Q（课题）。

4. 第三个步骤：Q——列出待完成的课题

根据上述的情境，目前离上市还有三年，在这段时间内，本公司的当务之急是制定与实施以下的宣传策略。

如何提升消费者对于“本公司是一家国际企业”的认知?

如何让消费者产生“本公司在气喘治疗也很在行”的印象?

如何让消费者知道“本公司在白三烯拮抗剂的市场中占有优势”？

如何使“希拉利是最好的口服药剂”的观念烙印在消费者心中?

在这里，巴尔丹公司以设问的形式，凸显出步骤C所遭遇的问题。以问题类型来看，这属于追求理想型。该公司已认知到有追求理想的机会，也决定去追求。因此，课题应该集中在“要追求到什么程度？”

在第四个步骤A（回答）中，巴尔丹公司要对于上述的各种设问提出实施计划，包括替代方案及其评价。

附带说明，在这次的SCQA分析中，可以加入“3C”的架构。3C是策略用语，表示分析时必须着重三个以C为开头的主题：自家公司（Company）、竞争对手（Competitor），以及顾客或市场（Customer）。至于3C的详细说明，请参照本书第十三章。

向客户做提案时的应用窍门

Mckinsey Problem Analysis and Solving Skill

1. 解决问题与提案说明都需要本书

本书是帮助读者解决问题的指南，但应用范围不局限于此。三种问题类型的区分、各个课题领域的架构，以及解决问题的技巧，对于工作性质是提供解决方案、提案型的人而言，有很大的帮助。近几年来，在向企业提供高额的商品和服务上，这种类型的业务深受重视。而且，**所谓“提案型业务”，具体地说，就是针对企业顾客的问题提出可行的解决方案（solution）。**

接下来，我想从“提供解决方案、增加提案广度”的观点，介绍如何运用解决问题的技巧，来掌握顾客的思虑。

2. 帮你切中对方在乎的问题与课题

在日常的业务往来当中，有契合对方承办人的考虑吗？我并不是指彼此的兴趣或个性合不合，而是希望在充分理解对方的“问题要点”之后，再进行洽谈。

举例来说，你提出的问题是在对方的业务范围内，并且是对方关心的吗？或许，你不会夸张到向人事部门的人谈论制造技术的问题，但有可能对方明明对新事业感兴趣，你却一直提既存事业的话题。不仅如此，即使你的问题符合对方的领域，也不一定是对方重视的问题类型。可能对方想谈论追求理想的问题，但你却与他谈论恢复原状型问题。

另外，即使你提出的问题领域和问题类型都切中对方的期待，但很可能你们彼此的考虑无法契合，因为你并没有将焦点放在对方重视的课题领域上。例如，对方想要进行根本解决，但你却一直分析原因或是提出防止复发的策略。像这种磨合问题要点的方法，也可以运用在公司内部的讨论上。

3. 万一对方“状况外”……

相信大家通过上述所说明的“契合对方的考虑”，已经了解**所谓“符合对方的问题要点”，是指提出的问题领域、问题类型、课题领域与对方一致**。这是进行提案型业务的基本功课。

但有时候，对方的问题意识不一定那么明确。这时候，最好的做法是依据对方的需求追加提案。当然，如果对方的问题要点毫无章法，可能使状况更加恶

图表5-3　问题认知的坐标轴

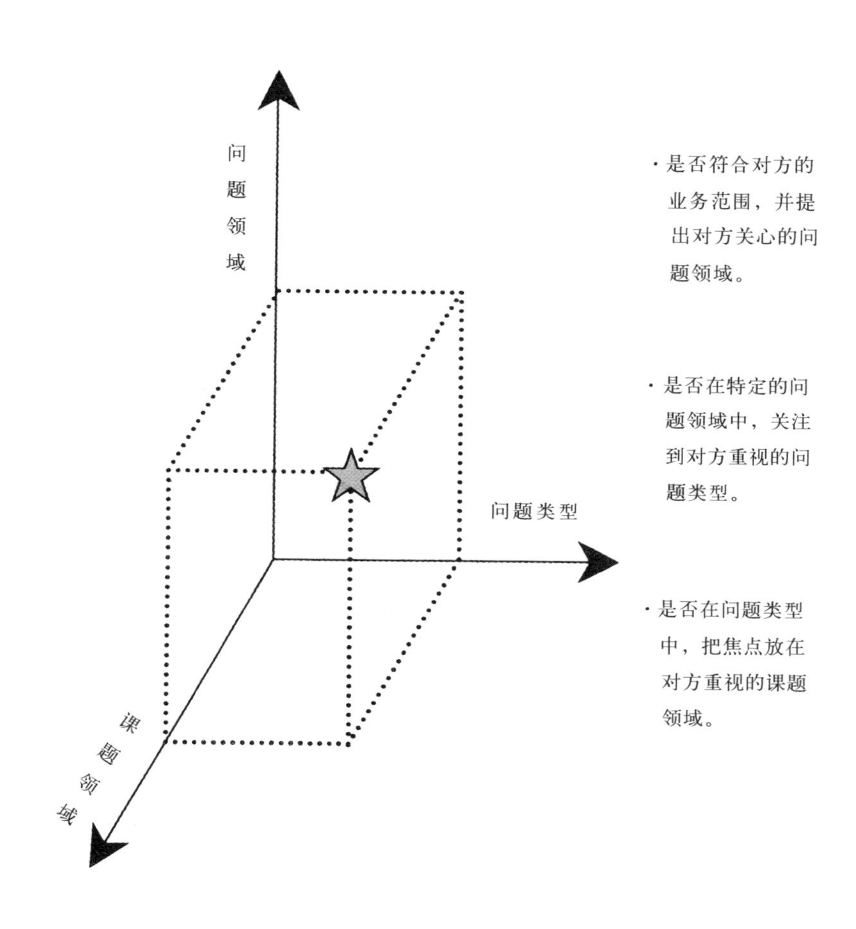

化，那就另当别论。在有些场合里，对方甚至连问题要点都没有，因此你还要多加一道程序，那就是向对方说明，你提出的问题领域、问题类型、课题领域，对他而言是多么重要。

假如你负责的是提案型业务，要针对顾客的问题提出可行的解决方案，那么你可以直接应用本书中解决问题的步骤。差别在于，你提出的“问题”是否切中对方的想法。因此，提案的第一步是发现对方的问题。如果可以确定问题类型，就能够进一步锁定课题领域。如果能契合对方的思虑，让这个步骤水到渠成，那么接下来就能针对需要解决的课题，提出各种替代方案，然后促使对方依照正确的评价标准做出决定。

4. 用提案扩大既有交易，让客户买更多

通常，向企业提供的商品和服务越高价，生意越难自动找上门。一般而言，要做成生意，必须先拥有一定的业绩和人脉。因此，在这个类型的商品或服务的

图表5-4　提升提案的进度

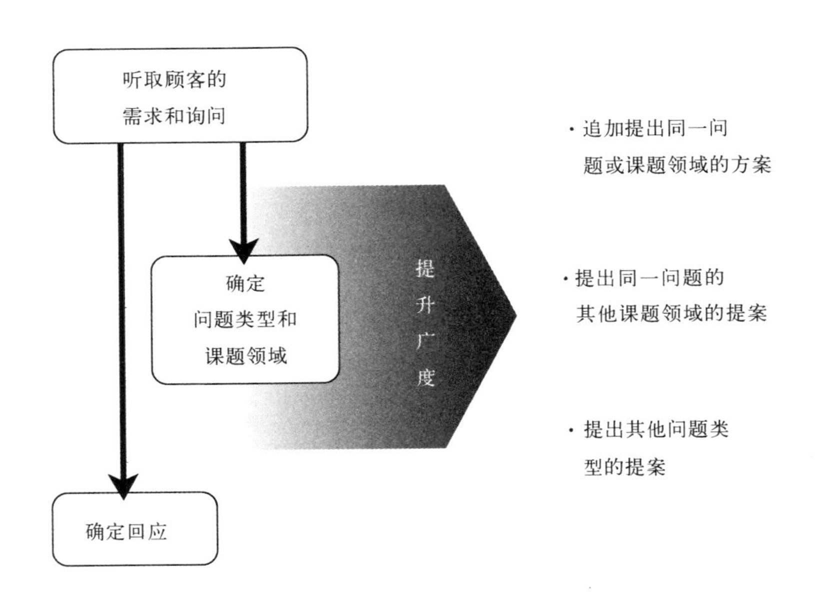

业务上，所追求的目标是扩大既有交易。

客户想听到的提案是如何提升既有交易的广度。当提出的方案离既有的交易越远，对方接受的几率就越低。所以，必须以现有的人脉为切入点，扩大人际关系，尽量提升既有交易的广度。你可以应用本书的分类问题与设定课题领域的架构，达到这样的效果。

具体而言，一开始顾客会提出需求或询问。这时候，除了切实响应顾客的问题，还要确定问题类型和课题领域。例如，假如顾客询问的问题属于恢复原状型问题的紧急处理，你可以追加提出同一问题或课题领域的策略提案。

如果状况许可，还可以再提出同一问题类型的不同课题领域的提案，比方说，你可以提出根本解决与防止复发策略等。接下来，你可以再尝试提出同一问题领域的其他问题类型的提案，像是防范潜在型或追求理想型。像这样提出切合实际问题的提案，就能够按部就班、有效率地提升双方业务配合的广度。

第 *6* 章

如何掌握问题的本质，制定替代方案

- 问题背后的问题：课题的本质是什么？
- 如何理性评价各种替代方案
- 万一只有一个解决提案，怎么办？
- 用于执行的行动计划

问题背后的问题：课题的本质是什么？

Mckinsey, Problem Analysis and Solving Skill

1. 错误的解决策略，反而让问题恶化

先发现问题，再设定课题，最后思考解决策略。但是，如果提出的解决策略是错误的，那么当然不能够解决问题。

举例来说，某家公司烦恼于不知如何扩张本业，最后决定采用“多元化经营”（美其名曰“本业的延伸”）来改善现状。但是，涉足不熟悉的领域开展事业，结果不仅使业绩每况愈下，问题也日益恶化。

有些例子比较极端，例如隐瞒设计有疏失的汽车零件，造成人命伤亡；为了减少库存牛肉，篡改原产地以符合国家收购条件；将卖剩的牛奶混入新牛奶来销售。这些都是错误的解决策略。实行错误的解决策略，将使原本的问题更加严重，最后自作自受。

2. 正确设定课题，多想几种替代方案

无论哪一种类型的问题，共通点是课题都有待解决。换句话说，在解决问题的过程中，必定有“思考解决策略”这个程序。一般而言，当我们想要解决某个问题时，一定会思考多种解决策略，也就是所谓的“各种替代方

案”（alternative solutions）。

换句话说，草率地决定采取某个方案，认为“只有这个方法了！”，是很危险的。一位聪明的问题解决者，应该要针对已设定好的课题，从多种解决方法中选出最合适的。

接下来，我将从“制定与评价各种替代方案”的观点，来思考解决策略，这是所有问题的共通课题。

3. 解决方案只选一个，但不能只想一种

以恢复原状型问题为例，试图将现状恢复原状的应对策略就是替代方案。还有，在防止复发策略中，也需要替代方案。若是防范潜在型问题，为了预防不良状态，以及控制问题发生后的损害程度，通常要有多种解决策略。同样地，若是追求理想型问题，选定理想之后，必须思考行动计划的几种替代方案。如果尚未选定理想，就要从数个理想中选出一个，这也是一种替代方案。

当我们拥有多种解决策略时，通常只要挑最好的来实施即可。原因在于，既然每个方案都能帮我们解决课题，只要采取其中之一便已足够，而且从“资源分配”的观点来看，同时采用多种方案，成本负担太大。**因此，在制定出多种解决策略（替代方案）之后，必须根据真实的评价标准来做选择，不论解决哪种类型的问题，这都是极为重要的作业。**

4. 解决问题的第一步：明确说出本质课题

如同前述，解决问题的第一步，就是发现问题之后，将本质性课题明确化。

只有将重点课题明确化，才能期待替代方案能带来明确的成果。

举例来说，在校园校园招聘会上，对于参加的学生而言，面临的迫切课题是“该向哪家公司递出简历”。这是追求理想型问题，以目标来说，他们的重点课题应该是选定有意愿就职的企业。接下来的课题是，该如何提出申请。另一方面，对于公司的人事部门而言，面临的课题是“该怎么做才能找到适合本公司的人才”。换句话说，该用何种手段任用理想员工。

另外，如果想要制定暑期计划，所面临课题就是“该怎么过暑假（理想）？”

5. 课题的设定，决定了解答的范围

“课题的设定，决定了解答的范围”（The issue definition determines the solution boundary.）**这句话，是我在纽约麦肯锡担任顾问时学到的名言，意思是发现问题之后，设定具体课题的步骤非常重要。**接下来，将举一个具体例子进行说明。

T（28岁，男性）任职于某大型超市的宣传部门，因为工作上的关系，他几乎每天都要外出办公（以SCQA分析来说，这段说明为S，即状况）。某天，T在正要前往其他公司开会时，抬头看看天空，发觉快要变天了。他分析状况：“对了，气象预报好像说今天会下雨。看起来快要下雨了（C，即问题）。”

T发现“快要下雨”这个防范潜在型问题，并将它定义成具体的课题：“我是否该带伞外出（Q，即课题）？”

T靠经验掌握重点，将设定课题限定在下雨时该做出何种应对策略。对于这样的例子，应该很少有人会把课题限定在分析原因，像是“为什么今天会下雨”。更别说是预防策略，例如该怎么努力才能阻止雨不要下，毕竟我们无法掌

控天气。T这么细心，应该会带伞外出，作为雨天时的应对策略，这件事情就算解决了。

6. “是否该带伞外出”并非本质性的课题

这则简单的例子，可以帮助我们同时思考课题设定和替代方案的广度。在应对策略的领域中，T定义出一个具体课题“是否该带雨伞外出”。这一瞬间，解决策略已被限定在“雨伞”这个雨具上面，选项的范围也被限制在“该不该带出门”，只能够选择是或否。换句话说，完全没讨论到其他的解决策略（替代方案）。

万一下雨，还有许多替代方案，例如：

“去最近的便利商店买雨伞。”

“在目的地向别人借伞。”

“搭乘出租车。”

但是，以T的例子而言，没有必要考虑这些方案。重点在于，解决策略的选择范围，取决于怎样设定课题。

7. 课题设定太表面，无法解决问题本质

假如T将课题设定范围扩大为“该带哪种雨具出门”，是要带普通的伞、大一点的伞、折叠伞，或是穿雨衣、雨鞋等，那么在雨具的范围中，将出现许多替代方案。

接着，还可以提出更接近本质的课题设定："该怎么做才不会被雨淋湿"。这样的课题设定，凸显出一个本质性的问题：淋湿。其实，下雨本身并没有问题。无论是下雨或是下刀子（译注：日文惯用"即使下刀子也要去"来表示风雨无阻的意思），只要不被淋湿都不成问题。

"可能会被雨淋湿"这件事与T的期待状况有落差，就是问题的本质。因此，对于T而言，最重要的是优先思考不被淋湿的预防策略。在这里，预防策略不是指"预防下雨"，这太不切实际，而是针对"被雨淋湿"这个本质性问题，提出预防策略。

假如T的课题设定包含"可能会被雨淋湿"这个本质性问题，那么就可能提出一连串的解决策略（替代方案），切实地解决问题。我们很难期待，表面性的课题设定能够解决本质性的问题。

8. 关键在于设定出本质性的课题

以前，某一家电厂商为了大幅增加市场占有率，提出一套中期策略。该公司从以前到现在，所有的产品都是自己生产制造。因此，制造部门的负责人在这个追求理想型问题中，将自己的课题定义为"为了应对公司大幅提升市场占有率的策略，必须提升制造产品的能力"。

但是，在将课题定义为"提升制造能力"的那一瞬间，已在"如何追求理想"的部分设立一个前提，那就是所有产品都必须在自家工厂制造。这样的课题设定，真的有触碰到解决问题的本质性课题吗？

该公司将兴建大型的工厂，作为达成理想的解决策略（手段）。自制产品有可能是最好的，但是在他们把课题设定为"提升制造能力"的同时，包括外包代工等其他选项都被排除，根本没有被评估的机会。对于公司而言，或许最后成功达成了扩大市场占有率的目标，结果是好的。可是，就解决问题的质量来说，由于未曾考虑过其他的替代方案，因此仍然值得存疑。

9. 课题定义不同，想出的替代方案迥然不同

从“设定本质性的课题”这个观点来看，这位制造部门的负责人应该怎么定义课题呢？从“提升公司市场占有率”这个观点来看，他的责任应该是确保稳定的产品“供给”。可是，这些产品并非一定要由自家公司来制造。因此，将课题设定为“应对公司大幅提升市场占有率的策略，必须提升供给产品的能力”，比较妥当。如此一来，委托代工的选项也可以纳入考虑的选项之中。

以上，我叙述了设定课题的重要性。必须先确定问题的类型，然后选定确切的课题领域，例如分析原因、应对策略等。**因此，希望各位读者了解，能否设定好具体课题，将决定解决问题质量的优劣。**

如何理性评价各种替代方案

b Mckinsey Problem Analysis and Solving Sk

1. 先不做任何评价，列出所有解决策略

即便做好课题设定，当我们选择替代方案时，常会发生一个问题：无法详尽列出所有的点子。

换句话说，有时候我们提出的解决策略相当有限，因此经常没机会做评价，而遗漏掉好的解决策略。此外，也可能在列出解决策略时，因为个人的偏见和先入为主的观念，或是思考不够周全，无意识地将其他点子排除。**所以，最重要的是尽可能提出你想得到的方案。**

T设定“该怎么做才不会被雨淋湿”的课题之后，除了“带伞出门”之外，还想出很多其他的替代方案，像是“去最近的便利商店买雨伞”“在目的地向别人借伞”“搭乘出租车”。此外，还有其他的替代方案吗？T询问被称为“点子王”的同事Y，Y提出许多方案：

“躲雨。”

“和顺路的人同撑一把伞。”

“不带伞，带雨衣或帽子。”

“请对方来我们公司开会。”

“将会议延期。”

2. 脑力激荡法

即使你身边没有Y这样的智多星，还有一种手法能有效且全面地网罗替代方案，那就是脑力激荡法（brainstorming）。这是一种为集体激荡创意的著名方法，在1939年由美国的亚历克斯·奥斯本（Alex F. Osborn）所提倡。

脑力激荡法鼓励参与者自由提出意见，但必须遵循以下四项规则。

①不能批评别人的想法

②尽量提出大量的想法

③欢迎自由奔放的发言

④发展别人的想法

其中，最重要的是不批评别人的意见。因此，进行脑力激荡时，绝对不能说：“根本不可能”“绝对不会成功”“天方夜谭”“没用”“成本太高了”“没意义”“以前失败过了”，等等。

这个手法的重点是，除了可以促进创意激荡的效果，还能打破个人的固定观念。但要注意的是，由于参加者人数众多，且可以自由发言，因此要自律，不能打断他人说话。还有，虽然规则明订不能发表批判性的言论，但是考虑到有人会在意别人的想法而不敢发言，所以最好尽量营造自由愉快的气氛。

3. 解决方案必须谨守伦理

虽说脑力激荡法不能批评别人的创意，并尽可能列出所有方案，但前提是必须合乎伦理和遵守法令。因此，如同本章开头所举例的，隐匿汽车零件的设计疏失、篡改库存货品的原产地、将卖剩的旧牛奶掺入新牛奶等方案，从一开始就不必考虑。

在讲究守法的时代，有鉴于社会上发生的种种事件，我们必须时常自省，提出的方案是否违反伦理。

4. 替代方案的评价标准必须明白清楚

无论网罗多少优异的替代方案，如果没有做贴切的评价，问题依旧无法解决。对于替代方案，绝不能抱着“好像不错”“好像不行”等暧昧的态度。即使最初是靠直觉来评断替代方案的优劣，也必须在之后仔细地检验、查证。

正确的评价必须基于正确的评价标准，评价标准最好清楚明白，但实际情况多半并非如此。**制定评价标准和列出替代方案一样，都能应用脑力激荡法。**

评价标准有许多种，大致上可分为两种类型：绝不让步的“必需项目”，以及有最好、没有也无妨的“优先项目”。

5. 确认替代方案能否解决问题

在许多评价标准中，有些项目绝对不能让步、妥协。**其中，最重要的就是解决方案是否真的能够解决问题，这是评价替代方案时最重要的因素。**因为，花费时间和精力选择的方案，最后却不能解决问题，便毫无意义。

举例来说，希望年届高龄的社长能尽早退休，是属于追求理想型问题。社长身边的人提出“如何”的课题：“该怎么做才能请社长退休？”他们讨论出一个替代方案：“请社长就任没有代表权的会长一职。”

这个方案听起来很不错。但是，假如最后社长没退休又兼任会长，岂不是白搭？所以，应该是先想办法让社长退休，再请他当会长。换句话说，这个解决策略并非解决问题的症结，因此不是解决问题的好方案。

6. 别把追求解答的手段当成解答本身

像这种情况，有几种替代方案能解决问题。例如，较强硬的手段像是“请董事会解任社长”，也有较软性的手段像是“请社长夫人说服他”。当然也可以从制度面着手，像是“制定社长退休制度”。至于先前的“请社长就任没有代表权的会长一职”，可以当成方案中的一个创意。

再举个例子。厂商正烦恼，该怎么做才能解决订单减少的问题。针对恢复原状型问题的“根本解决”这个课题，某位员工建议：“聘请优秀的顾问，请他规划策略。”

但是，这个建议无法成为最终的解决策略（因为顾问不会替公司找订单），只能算是协助大家讨论出解答的一个手段。如果现在的课题是“想得到解答，用什么手法最好？”，那么“聘请顾问”就能成为替代方案之一。而其他像“在公司内成立项目小组”或是“征求全社员的创意”，也可以列为替代方案。

可是，现在的课题是“该怎么挽回订单”，而非“该怎么得到最好的解答”，小心不要混淆了追求解答的手段和解答本身。

7. 还有哪些不可退让的“制约条件”？

确认替代方案真的能够解决问题之后，要思考替代方案是否符合其他绝不能退让的条件，并且立即删除不符合这些条件的替代方案。

举例来说，当你考虑“购买自用车”这个追求理想型问题时，若是没有制约条件，你可以列出无数的车种作为候选选项（替代方案）。但是，如果你有绝不可退让的条件，例如价格在200万日元以下的四轮驱动休旅车，那么候选车种的范围便大幅缩小了。

再举个例子，假如有某企业打算找外部的人来担任某个部长的职缺。而不可退让的条件为：年龄35岁以上、45岁以下、拥有MBA学历，并且至少在大企业有3年以上财务相关工作经历。设定这些条件后，就可以一口气缩减大批的应征者。特别是当候选选项（替代方案）太多时，设定制约条件可以帮助你在初期阶段有效地进行筛选。

8. 接着才是思考你对替代方案的“期望条件”

了解有哪些必需项目，下一步就是思考期望的项目。与制约条件不同，这些项目是指“并非绝对必要、但最好能满足”的一连串条件。

在前述“购买自用车”的例子中，你还可以列举出并非必要、但自己非常重视的项目，例如铝制轮圈、驾驶座装设汽车座椅加热垫、真皮座椅、附DVD自动导航、省油，等等。而在“部长职缺”的例子里，还可以列出一些期望项目，例如英语能力强、有管理顾问的经验、有业务的经验、有开创新事业的经验，等等。这些都是有最好、没有也无妨的条件。

9. 先给期望项目评分比重，再来评价替代方案

评价替代方案的方法是，给期望项目的重要性打分数。可以设定10分或5分为满分，评估各个项目的比重，进行相对性的评分。然后，为每个替代方案打分

数，可以用10分、5分、100分为满分。接下来，将各个替代方案的分数和评价项目的比重相乘。各个项目相加之后的总和，代表各个替代方案的总分。最后，选出总分最高的项目。

这个方法能以具体的数据，呈现出替代方案的价值，有助于我们进行评价。但是，无论你花多少时间列举期望项目，要是评价太过笼统，便白白浪费这些绞尽脑汁想出来的项目。只有将各个项目的重要性和各个替代方案的评价，以客观的分数表现出来，才能够为这些替代方案做综合性的比较。

此外，**评价过程的透明度越高，就越能提升可靠性**。因为，这个过程并非靠个人的经验或直觉进行的黑箱作业，而是任何人都能理解、接受检验的评价基准。如果做决定的过程具备可靠性，在实施阶段便有助于你获得对方的承诺。

10. 别忘了进行负面评价

除了绝不能退让的条件以及希望被满足的期望项目之外，别忘记要为替代方案进行负面评价，也就是说，还要思考它的副作用。其原因在于，无论是必需项目或优先项目，都属于正面评价，但真正好的决定是连风险也要考虑进去。

分析替代方案风险的程序，基本上与分析潜在型问题相同。因此，要考虑实施某个方案会不会产生预料之外的不良状态。假如会发生不良状态，可以先列出促使潜在不良状态发生的诱因，并思考应对策略。如果该诱因可以被排除，最好先予以排除；如果无法排除，就要思考发生时的应对策略。

以前面提到的家电厂商为例来说明。为了确保产品的长期供给，有两种替代方案：自己生产或者外包制造。一般而言，外包制造的优点是：投资金额较少，不必持有设备，必要时还可以变更交易量，但其缺点是：在质量上无法完全掌

图表6-1 好评替代方案的例子

		第一案		第二案		第三案	
	替代方案	DM		全国性电视广告		培养顾客的计划	
评价项目	比重	得分	分数	得分	分数	得分	分数
速效性	5	8	40	8	40	4	20
持续性	8	6	48	4	32	9	72
个人导向（personal touch）	7	6	42	3		9	63
提升印象	9	6	24	9	81	7	63
销售员的排斥程度	−4	8	−32	3	−12	3	−12
总分		220		183		283	

控，还可能发生无法出货这种预料之外的不良状态。为了将伤害降到最低，我们必须筛选出可能的风险，并在合约中约定罚款，以降低不良状态的发生率。

如果替代方案的缺点太多，发生几率又高，那么在评价上就要大大扣分。评价替代方案时，必须将期望项目和负面因素放在天秤两端仔细斟酌，评断出最具魅力的方案。

因此，评价风险时，如果从最缺乏魅力的替代方案开始，会浪费许多时间。比较有效率的做法是，从期望项目评价最高的方案开始评估风险。

万一只有一个解决提案，怎么办?

1. 实务上，会有单一提案的情况

前文说明了如何在多种解决策略中做出最佳选择，但前提是这些解决策略已包括了最接近理想的选项，**因为“评价的程序”是指选出最接近理想解决策略的手法**。比较单纯的情况是，自己想出包括最理想方案的数个替代方案，并进行评价。但一般而言，情况并非如此，我们常接收到的是来自外部、不知是否为最佳的建议。

K（31岁，女性）在某个大型银行集团担任银行职员。某天，猎头公司询问她是否有意到外资金融机构工作，这就是外部提供方案的一个例子。这时候，K若思考“我还有到其他地方工作的选择吗？”，进而发掘出数个机会，就可以运用评价替代方案的方法来做筛选。但现实状况通常是，K因为平常过于忙碌，所以

只能考虑他人提供的单一提案。

不仅是个人的课题，企业选择投资事业的案件也是如此，很少有多种替代方案可供选择，多半都只会出现某项“可行性研究”（F／S，feasibility study，意指事业化调查）。**所谓“可行性研究”，是指在从事并购企业、建设工厂、成立新事业等投资之前，所进行的调查作业。**这道程序关乎事业的成功与否，非常重要。

2. 创造理想方案，评价单一提案

只有一个提案时，无法与其他方案做比较。但是，就评价手法来说，前文中有关必需项目与优先项目的评价方法，也可以应用于此。

处理单一提案时，先要确认这个方案的必需项目是否获得满足。接着，与多数方案的评价方法一样，在优先项目的比重上打上分数，再假设一个所有优先项目都得满分、最理想的方案。最后，将这个方案的总分与提案的得分做一番比较，看提案的得分约为最理想方案的几成。

采用提案的标准是个恼人的问题，换句话说，我们该将合格分数设为几分？从实际情况来看，假使理想方案的得分是100%，也就是100分，我们很难乐意采用只有40分的提案。相反地，假使提案得到90分，就很可能会采用。总之，通过与理想方案做比较，比较容易判断单一方案的价值。

3. 比较最理想方案，以抑制偏见

如同前述，与理想方案做比较的方法，虽然不是绝对的评价标准，但是对评价者而言，至少在评价单一提案时，有个标准可供参考。其原因在于，如果没有参考标准，那么可能会因为当下的立场而低估或高估了提案。

举例来说，就刚才提到的K而言，她如果对目前的职场还算满意，并未积极考虑要换工作，就有可能高估了猎头公司提案的风险，同时过度低估潜在的利益。相反地，K如果对目前的工作觉得很不满，而且没有安全感，那么任何跳槽的提案在她眼中都是美好的。这时候，K恐怕会高估提案的优点，而低估了风险。

如果能够比较单一提案与最理想的方案，那么将有很高的几率可以降低因现状而引起的偏见，有助于正确地解决问题。

用于执行的行动计划

1. 行动计划：必须具体涉及金额、日期、人员

进行到这里，假使你已经拟妥正确的解决策略，但如果没有具体的行动计划，还是无法实践。无法实践的策略就像画饼充饥，到头来只是做白工。

除了追求理想型问题的替代方案之外，基本上，任何替代方案都需要采取行动。如果光是选出最佳的解决策略，例如“本公司维持对A事业的投资、从B事业撤退，并将剩余的资源集中投入给C事业”，却不付诸实施，那么即便这项解决策略是正确的，也根本无法执行。必须要有具体的金额、日程、承办人或部门等细节，才能够采取行动，并且成为追求理想型问题在制定行动计划上的参考。

当然，有些解决策略比较单纯，不需要详细的行动计划。例如，“今天好像

会下雨，带伞出门吧”这项解决策略的行动计划，就不需要考虑得太仔细。如果硬要细分，步骤大致如下。

①从柜子里取出常用的折叠伞。

②把伞放进上班用的包包。

③别忘了带包包出门。

④下雨的话，从包包中取出雨伞。

⑤把伞打开，撑伞。

但是，大概没有人会如此严密地拟定带伞出门的行动计划吧。

2. 有好的解决策略，有能力执行吗？

如果拟妥行动计划，但执行能力不足怎么办？这是阻碍问题解决的一大因素。假设有一家企业虽然在国内拥有广大的市场，但海外拓销的经验却很少。该公司为了弥补本业的不足，决定并购海外的企业。就企业成长的即效性来说，并购是正确的选择。然而，即使有这项实施计划，能否在几乎陌生的文化圈中，顺利经营新企业，仍然是个很大的疑问。

日本香烟产业株式会社是一家相当好的公司，在1999年并购了雷诺士–纳贝斯高（RJR Nabisco）在美国以外的香烟事业。但后来，却因为业绩不佳而股价下滑。另外，拥有丰富海外经验的大型轮胎公司普利司通（Bridgestone），在1988年以26亿美元并购美国第二大轮胎公司凡士通（Firestone）之后，却经营得很辛苦。由此可见，在解决问题中，执行解决策略的能力有多么重要。

3. 要是没有相称的执行能力，怎么办?

不管执行者的行动多么正确、多么优异，如果欠缺执行能力，就无法解决问题。如何判断个人或组织执行能力的优劣，是个有待解决的课题。假如执行者的能力不足，你可以一边思考弥补不足的替代方案，一边依据已经制定好的行动计划，开始解决问题。

如果无法弥补执行能力，则可以考虑缩减行动。举例来说，原本目标是100分，但因为执行能力并不完美，最后只达到30分。与其这样，不如一开始采取80

图表6-2 实施率和效果

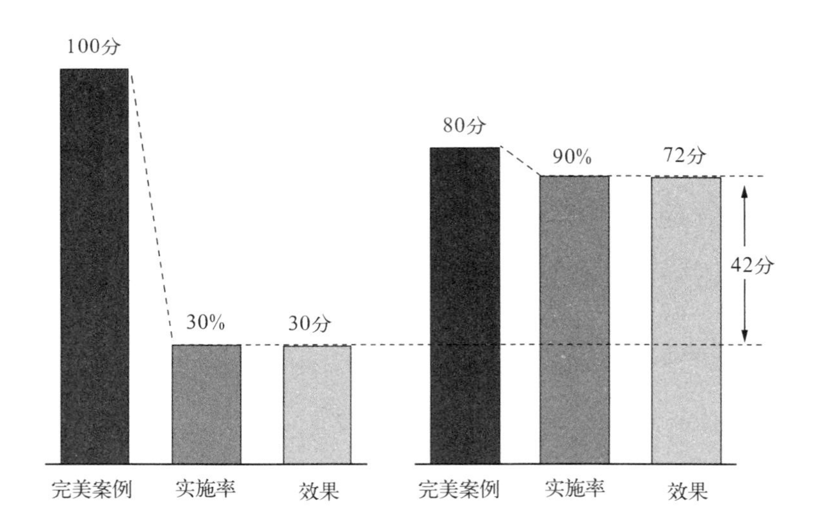

分的行动，假如实施率达到90%，至少还有72分。因此，采取行动前，一定要考虑实际的执行能力。

4. 确实将主旨传达给组织内部

假如当事者和行动执行者是同一个人，则不需要担心，但大多数的情况是当事者将行动委托给他人执行。如果要解决问题的当事者是企业（经营者），则几乎都是委托他人（所属员工）。在这种情况里，即使实施计划已经出炉，组织也拥有足够的执行能力，但是仍然无法采取行动。其原因在于，当事者并未将解决策略的主旨切实传达至组织内部，导致执行部队没有采取行动，这种情况十分常见。

举例来说，某家企业决定实施一项计划来改善业务状况。行动计划不难理解，只有一个期望：希望业务能朝套装化来发展，而且组织也有足够的执行能力。但很可惜的是，用公告来通知公司内部组织，于是员工不太能理解主旨，结果最后不了了之。因此，如果负责执行计划的成员不了解当事者的想法，计划必定寸步难行。

5. 沟通优劣会影响行动结果

相对地，某家企业为了将经营理念渗透到各个员工心中，于是准备实施一项计划。实施计划之前，公司立刻从各个部门调派人员，组成一个负责传达计划内容的项目小组。这个项目小组接受沟通顾问的建议，同时针对公司所发送的公文加以解释，并定期召开说明会、设置询问窗口，在公司内部刊物上报告各个部门的进度和状况。

结果，这个计划进行得非常顺利。这就是执行计划时，为什么要重视沟通状况的原因。

Part 2
情境分析，提升决策质量

第 7 章

情境分析反应快，笃定预测风险高

- 笃定的预测——总遇上不愿面对的真相
- 情境分析——预想几种最可能发生的故事

笃定的预测——总遇上不愿面对的真相

Mckinsey, Problem Analysis and Solving Sk

1. 用情境分析提升解决问题的质量

前面谈到，当解决问题时，要先将问题依据本质做分类，再选出重要的课题领域，然后通过思考解决策略或替代方案的优点和缺点，来逐步进行。但是，这样的过程并未考虑到实施替代方案时的环境，只考虑到替代方案本身是否能解决问题，以及相较于其他的解决策略有没有较多的优势而已。

因此，从“提升解决问题的质量”这个观点来看，我推荐大家学习情境分析的方法。其原因在于，实施解决策略时，问题周遭的环境会大大影响实施结果。情境分析可以从环境变化的观点，有系统地评价解决问题的替代方案。换句话说，情境分析将环境变化的不确定性带入解决问题的作业过程，能够提升解决问题时做决策的质量。

2. 光凭结果来评估决策，太危险

解决问题的过程包含了实施解决策略。换句话说，除了要从多种替代方案中选出最佳方案之外，还要付诸实施。但是，什么样的决策才是好的？只要结果是好的，就是好的决策吗？

虽然没有比结果好更令人期待的事，但很遗憾地，我们无法完全掌控结果。无论制定多么严密的解决策略，也有可能因为状况的变化而产生不好的结果。读者当中，一定有很多人吃过类似的苦头。

进行决策必定会伴随着不确定性，也就是风险。在有风险的环境里，如果只靠结果来判断决策的好坏，很可能会忽略风险。

3. 好决策不能只看结果，更得看过程

做决策不能只看结果来判断好坏，而是要看过程。即使决策的程序适当，但如果能在采取行动之前评价决策的好坏，当事者也能更安心地从事决策作业，因为做决策的过程已在当事者的掌控之下。

到底什么样的决策过程才是好的？除了期待期望的结果出现之外，同时也要切实了解做决策之后可能伴随着发生不好结果的风险。换句话说，做判断时能够充分理解决策背后的风险，才称得上是好的决策过程。如果要做更进一步的要求，最好能够在判断的过程中提高好结果出现的几率。

在本书的前半部，我已详述在解决问题的过程中如何做出好的决策。再加上后半部要说明的情境分析，便能更进一步地提高解决问题的质量。

4. 解决防范潜在型和追求理想型问题，得考虑环境变化

从解决策略的实施期间来看，恢复原状型问题通常要求短期的行动，因此不需要太担心环境的变化。然而，在防范潜在型和追求理想型问题中，虽说依据个案有所不同，但有时候实施替代方案的周期可能长达数年。

以提升经历来说，要取得会计师的资格，从准备期间到考取证照，通常要花好几年。律师、MBA、科技管理硕士（MOT）、证券分析师、临床心理师、药剂师、司法代书、税务代理人、医师等都是如此。但是，考上了律师、MBA、分析师，考出了好结果，就一定是好决策吗?

同样地，以企业的经营策略来说，开发新产品、投入新市场、建设新工厂等，并非一朝一夕可以完成，到正式采取行动之前，都需要相当长的准备期间。例如，核能发电厂从决定兴建地点到建设完成，大概要耗费20年以上，而火力发电厂也要10年以上的时间。电厂建成了，这是好结果，但兴建电厂是好决策吗?

5. 时间可能改变解决行动的效果

不只是准备期间，实施方案后的效果也要经过很长一段时间才能看得到。以个人取得证照为例，假设要取得的是前述那几项职业或学位，半工半读都需要耗费大量的时间与金钱，还要很有毅力才能够办到。另外，一旦踏入这条道路，就不容易变换跑道。

企业也是如此。投资的回收需要很长一段时间，投资3年就能回收已经算很快，通常需要5年至10年才能够回收。某家网络相关的新创企业，从公司设立到转亏为盈总共花了5年的时间，而要将过去的投资完全回收还要更久。另外，以航空公司来说，该引进大型客机还是中型客机的决策，将会受到中长期环境变化的影响。

换句话说，要看到解决问题或是做决策的效果出现，经常要等上很长一段时间。

6. 人通常在不确定的环境下解决问题

为什么解决问题的行动要出现效果，经常得耗费很长一段时间？因为解决问题通常都在不确定的环境下进行。即使依据计划执行解决策略，但是只要周遭的环境改变，或许就无法实现预期的成效，有时候甚至还会出现反效果。

就企业经营而言，日本在经济高度成长的时期，确实能够高度预测外在环境。在那个年代，未来的状况比较明朗，因此有可能假设（预想）单一环境脚本，并对解决策略进行评价。但是，在政治、经济、社会、技术等各个领域都快速变化的时代中，将难以避免不确定性的增加。所以，我再三强调，在思考如何解决问题时，一定要考虑不确定性。

7. 一厢情愿是成功者的乐观陷阱

有很多例子都是无视环境的不确定性，执着于单一脚本（预测型）的分析，最后失败收场。最常见的案例是，某位企业主原本一厢情愿希望，某个产品的需求应该是怎样的情况，而长时间下来，无意识中便认定应该如此。当这样的观念渗透到组织内部，事情就难以收拾了。

比方说，这位企业主设想：“我预测未来五年的需求就是这样。公司内部也已经有共识。基于这个前提，必须进行巨额的设备投资。没有其他路可走。”一旦事已至此，即使外在的需求趋势已明显发生变化，这位企业主也难以察觉外界的变化，因为他已先入为主地认定不可能会发生变化。

甚至，需求确实已产生变化，有的人也不把它当做一回事，而是认为不可能。过去，IBM公司执着于制造大型计算机，而预测个人计算机的需求非常小，这种想法就是过度乐观的陷阱。解决问题时，最好时时警惕自己，经营环境随时会发生变化，这样才比较现实可行。

因此，所谓“情境分析”，是在解决问题时，以不确定性为前提，有系统地评价各种替代方案。

8. 从战争来看一个过度乐观的陷阱

纪实文学作家半藤一利曾在《日本经济新闻》上刊登过一篇文章，指出一个过度乐观的陷阱。

> 研究昭和历史和太平洋战争将近50年，有几个谜依旧残留在我心中。其中之一是昭和十七年六月，率领海军机动部队的南云司令官在中途岛海战中的指挥方式。
>
> 凌晨4点28分，“利根”号重型巡洋舰的侦察机传来讯息：“前方疑似看到十架敌机。”这时候，南云司令官应该在脑中立即改变想法，立刻攻击美国的航空母舰才对。但是，幕僚却拖拖拉拉、在确认状况上耗费时间，直到凌晨5点50分才下令攻击敌方舰队。对于分秒必争的空战而言，这将近一个半小时的拖延无疑是致命的。
>
> 南云司令官的幕僚全都是海军航空领域的精英，这样的应对让人感到不解。即使访问那些战后幸存下来的人，却只能从他们口中听到辩解似的说明，完全无法让人信服。最后，我只能得出一个结论：无论是

主官或是参谋，南云司令的指挥团队在作战一开始，便打从心底认为美军绝对不会出动航空母舰，于是全部的人都陷入一种自我催眠的状态。

（《日本经济新闻》2006年4月2日）

由此可知，从心底不相信、不希望发生的事情，最后还是会发生，这样的历史教训实在不胜枚举。

情境分析——预想几种最可能发生的故事

1. “情境”就是和未来相关的故事

所谓“情境”是指描写一个环境的故事，在那个环境中充满有待解决的问题。简单地说，就是想象环境的未来蓝图。情境能表现出风险因素之间的关系，并说明各种关系在未来将产生什么变化，让我们一窥尚未发生的故事。

一般而言，情境分析是由三到四个脚本所构成，这表示风险因素之间的关系通常是多样的。但是，脚本的数量太多，反而有反效果。从脚本数量的观点来看，传统的环境预测分析则是单一脚本分析。

每套脚本的性质最好不同，光是强调数量，称不上是好的情境分析。此外，脚本的内容即使标新立异，也要拥有一定的证据，否则未来的蓝图会脱离现实；必须记住情境分析并非撰写科幻小说。

2. 情境分析是为了处理无法掌控的因素

如同上述，情境是关于环境的记述，因此这完全是在思考当事者无法支配的因素。以企业的事业策略来说，进行情境分析时，必须经常预测产品和服务的需求。虽然宣传、打广告可以唤起消费者某种程度的需求，但仍然难以完全掌握最终的需求状况。所以，所谓的“情境分析”，也可说是环境面的风险分析（对环境做风险分析）。

这里所说的环境因素，是指当事者无法掌控的因素。因此，即使在组织内部，只要是当事者无法掌控的部分，都应该列为环境因素，并考虑编入脚本当中。

举例来说，某公司内部分为制造和销售两个部门，假如解决问题的当事者属于制造部门，而他负责满足的需求是销售部门的业绩量。那么，这是当事者无法掌控的状况。因此，即使属于同公司的组织内部，对于身处在制造部门的当事者而言，这个问题应该列为环境因素之一。

3. 分析过去，是以“可预测的未来”为前提

为了充分理解情境分析，我先解说传统的环境预测分析的特征，以及与情境分析之间有何明显不同之处。

首先，环境预测分析的最大特征在于，其前提为未来是可预测的。从这个观点来看，环境预测分析的核心思考深植于牛顿机械论的典范。这种论点主张，世界是一组庞大的机械装置，不能准确预测未来的唯一原因是，因为没有足够的信

息。换句话说，假如能够掌握足够的信息，就可以百分之百预测未来。因此，即使耗费大量时间去预测未来，仍然是值得的。

4. 但情境分析认为不可能百分之百预测未来

相较于环境预测分析立足于牛顿的机械论，认为未来是可预测的，情境分析则认为，不管搜集多少情报，都不可能百分之百预测未来。情境分析可说是以量子力学、量子物理学的不确定性为典范。所以，在预测上过度花费时间并非明智之举。不过，由于认为不可能完美地预测未来，因此只能以几率来表示状况发展的方向性。

5. 环境预测分析只供参考，切勿依赖

传统的环境预测分析的特色在于各有分工，专家负责预测，决策者依据预测来做决策。因此，公司高层通常会将专家的各种预测当做脚本，要求所属单位贯彻公司的决策。

各位读者当中，或许有些人任职的公司每年会向相关研究单位，购买消费者需求预测的分析报告。对于决策者而言，这么做的确能回避掉一定责任，因为每当预测失准，就能以此作为借口。

6. 情境分析写多种“脚本”，以认识状况

相对地，情境分析则是先对于未来可能的环境状况达成共识，然后将共识渗

图表7-1 情境分析的特征

环境预测分析	多种脚本的情境分析
• 未来可预测	• 未来不可预测
• 预测未来是有益的	• 预测未来只是白费工夫
• 预测是专家的工作	• 重视建构脚本的过程
• 决策者单纯接受预测的结果	• 作为认识状况的工具
• 以每项变数单独变化的敏感度分析为主流	• 对所有脚本同样重视
	• 考虑相关性后，改变各项变数

透进组织内部，着重于掌握脚本的拟定过程。既然无法准确预测未来，预测者与决策者之间的角色就不会那么泾渭分明。重点在于，所有的人对于未来可能发生的状况拥有共识。每一种脚本发生的几率各有不同，但是都有可能发生。

从现实的观点来看，一开始必须同样重视每一种脚本，最后再思考个别脚本发生的几率。

7. 敏感度分析不是情境分析

敏感度分析，可说是传统环境预测分析的一大特征。敏感度分析的方法是：通过上下变动来控制环境的个别因素，并观察其变化。例如，调查“当需求调低5个百分点，实施A投资案件时，利润会下降多少？”敏感度分析完全是根据需求，将风险因素当做独立的变量来进行操作。这种分析方法，与思考个别风险因素相关性的情境分析区别很大。

8. 情境分析会考虑风险之间的相关性

相对地，情境分析是考虑多个风险因素之间的关联性之后，再进行操作。例如，敏感度分析认为：“先只调整风险因素A的变量，看看利润会产生什么变化。”但是，情境分析会考虑：“风险因素A可能是B的原因。因此，当A发生时，可能会产生B。换句话说，必须将A和B当做同一组变量来看待。”

9. 情境分析能提高应对速度

前文提及，情境分析的优点是，可以将不确定性带入解决问题的过程中。其实，情境分析还有另一个优点：事先以故事的形式，将环境可能发生的变化考虑在内，因此即便环境产生变化，但因为组织内部已经做好信息共享，所以能够迅速做出应对。

当进行环境预测分析，也就是运用单一脚本时，由于潜藏着个人的主观因素，因此较难察觉环境变化。再加上不愿面对真相的心理作用，于是就像前文南云司令的事例一样，会在环境发生变化时应对不及。

举例来说，某家综合商社在并购海外事业时，单一环境脚本描绘了过于梦幻美好的结果。后来，情况与预测相反，市场需求突然萎缩，不仅业绩恶化，最后还因疏于应对导致损失惨重。该公司因为其单一环境脚本过于单纯美好，所以总是相信：“需求一定会像预测一般出现好转。”结果，反而陷入过度乐观的陷阱。

第8章

说未来的故事：制作环境脚本

- 从“结构”来掌握环境因素
- 掌握各类风险因素的重要度
- 制作环境脚本
- 壳牌公司的情境分析事例

1. 制作脚本三步骤

制作环境脚本，是针对解决问题时的周遭环境，进行风险分析。必须考虑以下三个步骤。

①掌握环境因素的结构：将环境中的风险因素视为一连串的相关现象，予以结构化。

②掌握各类风险的重要度：依据风险因素对于当事者的影响和不确定性，掌握各类风险类别的重要程度。

③制作环境脚本：以影响较大且不确定的风险因素为主轴，拟定不同性质的脚本。

从“结构”来掌握环境因素

1. 环境由哪些因素构成？哪些因素造成风险？

首先，要理解环境是由哪些因素所构成的。我们可以把步骤①当做筛选风险因素的手续（请参见图表8-1①）。以事业战略为例，解决问题时最常使用的分析工具是“3C”或“五力”（请参见第十三章），或是把当事者的基本目标当做参照项目。就企业而言，大多数当事者的目标应该是追求利润。既然如此，可以把简单版的损益表当做参照项目，来进一步地分析。

2. 用损益表掌握环境因素

举例来说，假设现在有一份制造业者简易版的损益计算表。先从总需求量开始分析。将总需求量扣除进口商品与国内其他家公司（两者都是竞争者）的供给量之后，等于该公司的生产量。再将该公司的生产量乘上售价，等于公司营业额。再从营业额中扣除成本，就是利润。今后的总需求动向可以参考几个项目，例如产品是否

图表8-1　制作环境脚本的基本步骤

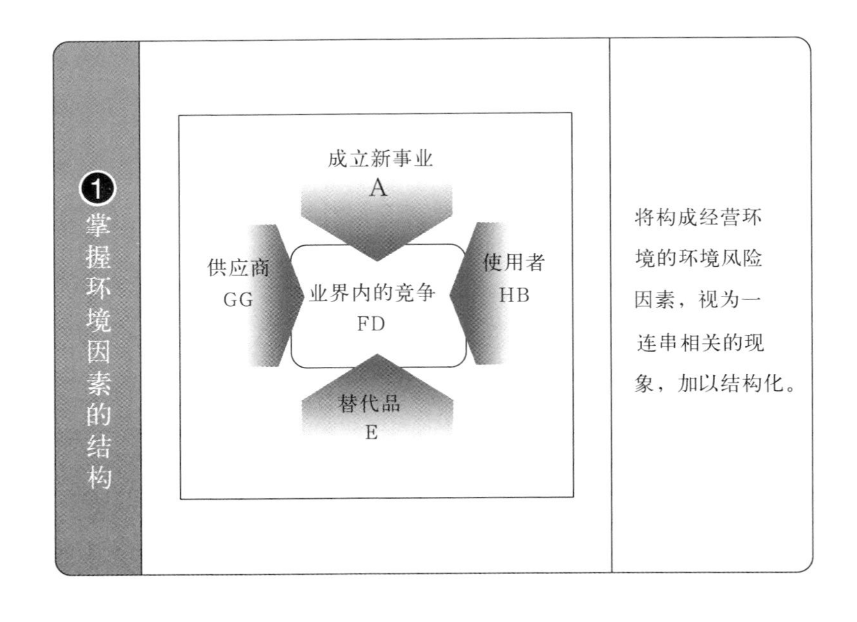

（续上表）

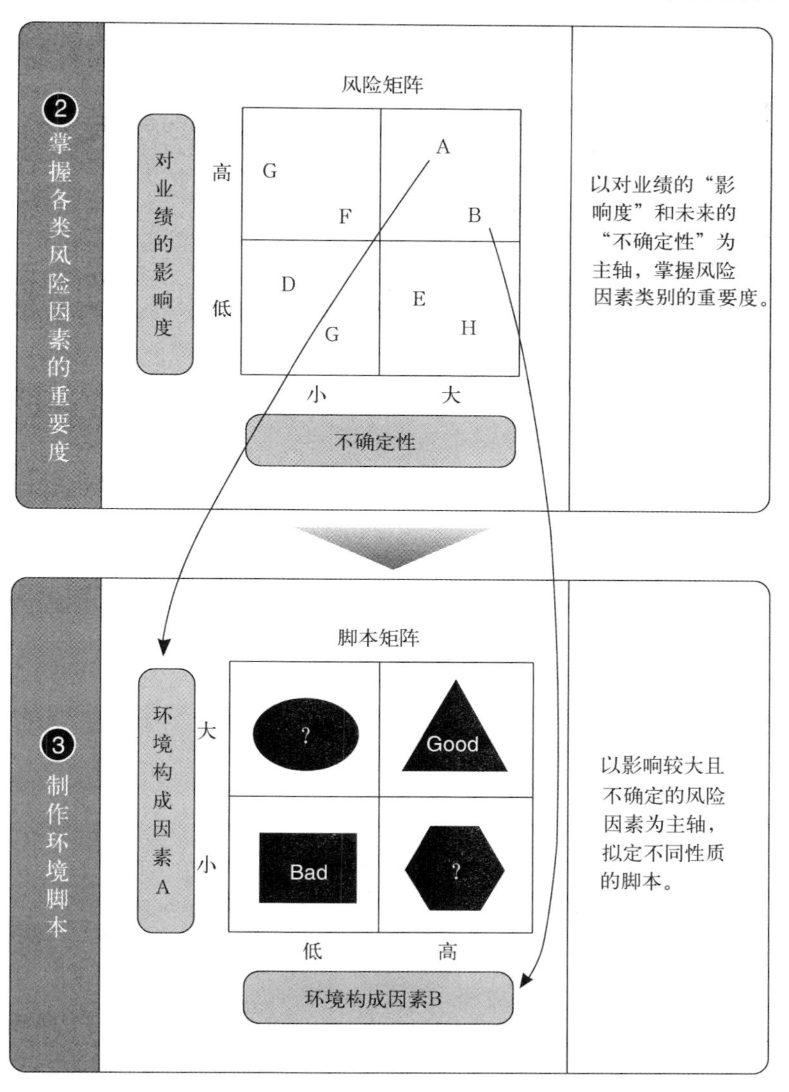

以对业绩的“影响度”和未来的“不确定性”为主轴，掌握风险因素类别的重要度。

以影响较大且不确定的风险因素为主轴，拟定不同性质的脚本。

为必需品、是否有替代品、是否容易受经济形势影响，以及过去的趋势如何，等等。

但要注意的是，目前的分析只是推估而非预测。另外，还要考虑进口商品会不会成为威胁、过去的动向为何，以及该产品是否得交纳关税，等等。

其他公司的生产量由其生产力和运转率来决定。如果该业务属于分散竞争型，那么业务的整体生产力便是问题的关键。如果该业务属于寡头型，那么几家重要大企业的生产力则是问题的关键。还有，要考虑设备投资额是否过高，能否成为跨足该业务的障碍。

产品价格要怎么决定？如果是任谁都能生产、没有特色的生活必需品，那么价格应该会自动依据市场供需来决定。在汽油类石化产品方面，这种倾向特别强。相对地，如果生产者能拿出独具特色、造成差异化的产品，那么价格决定权或许就能掌握在生产方手上。一般而言，名牌精品属于这一类。

另外，要考虑成本该如何决定、产品需不需要特别的生产技术、目前的生产技术在未来是否落伍、熟练工人的供给会不会受到影响、自然环境的限制会不会是未来成本增加的主因、依赖原物料的程度有多少，等等。

透过以上的分析，不仅可以掌握产业结构，还能够筛选出许多风险因素。

掌握各类风险因素的重要度

b McKinsey, Problem Analysis and Solving Sk

1. 将风险因素绘制在风险矩阵上

列出需求动向、原料的可获性（availability）、法规趋严等风险因素还不够，重点是要把各种因素绘制在矩阵中。这是建构脚本的步骤②，也就是绘制矩阵（请参见图表8-2②）。

矩阵的纵轴表示风险因素对当事者的影响度（影响大在上方，影响小在下方）；横轴表示风险因素的不确定性（不确定性高在右，低在左）。这个矩阵称之为“风险矩阵”。

2. 纵轴：影响度

风险真实发生时所受到的冲击

所谓“影响度”，是指风险一旦转为现实，对当事者所造成的冲击。例如，需求发生变动，通常会产生很大的影响。还有，对于劳动密集型产业而言，人事成本的变动对于业绩冲击非常大。另外，对于石油公司和电力公司而言，风险因素就是原油价格的变动。

3. 横轴：不确定性

风险因素的可辨识度

相对地，只要能辨别风险因素的方向性，“不确定性”就会降低。也就是说，不管方向是好是坏，只要可以判读得出来，不确定性就会降低。举例来说，你得知某项因素应该会继续恶化下去，这虽然是坏消息（例如原料价格持续上涨），但是不确定性便降低许多（你知道原料价格会一直涨）。换句话说，不确定性低的风险因素容易预测，相反地，难以判定未来走向的风险因素则是不确定性比较高。

图表8-2　风险矩阵的两轴

风险因素的变动对当事者的影响程度。
可将当事者的目标当作考虑项目。
若当事者是企业，可以参考损益表和现金流表等统计信息。

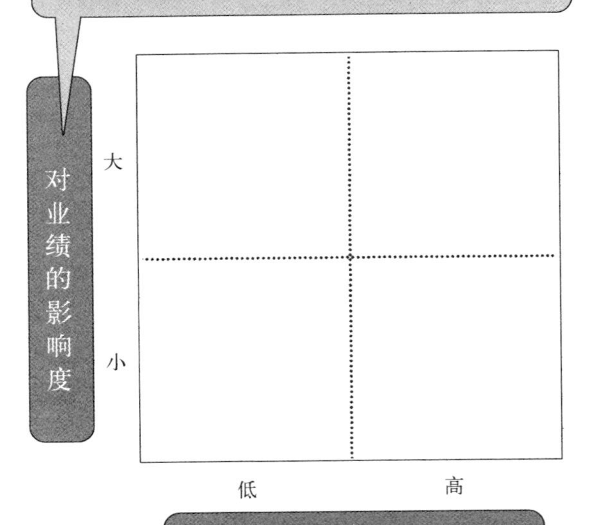

不确定性越低，越容易预测。不确定性越高，越难预测。例如，某因素有很高的几率往不好的方向发展，表示不确定性较低。

假如判断未来的需求趋于稳定，表示不确定性低，可以放在靠左侧的位置。然后，如果判断未来的需求影响度高，就放在左上方的象限中。

4. 别把不确定性用“发生几率”表示

制作风险矩阵时，常见的错误是在横轴用“发生几率”来取代不确定性。环境风险因素的发生几率确实很重要。即便风险的影响大，只要发生几率很低，就可以忽略。另一方面，如果风险影响大，发生几率又高，最好能够事先提出应对策略（事前处置）。重点是，不管发生几率高低，如果是我们能事先了解的，就表示该风险因素是可以判读出来的，也就是说，我们有很高的几率能判读未来的发展。

最困难的部分是，如何确定无法判读的风险因素。正因为无法完全判读出来，才称之为风险因素。假如用横轴来表示发生几率，风险因素应该被放在正中间附近的位置（因为我们不知道发生几率是高还是低）。因此，在风险矩阵的横轴上，最好是以不确定性而非发生几率来表示。

5. 风险矩阵首重网罗性：尽可能列举各种风险

制作风险矩阵的关键是“网罗性”。最重要的是，别忘记放入主要的风险因素，即使每项风险因素的性质多少有些重复，也没关系。重要的是，不要遗漏任何重大因素。从“确保网罗性”的观点来看，步骤①“掌握环境因素的结构”非常重要（请参见图表8-1①），建议将当事者的目标作为考虑项目。而且，步骤①和步骤②“掌握各类风险的重要度”，是连续且相互依存的手续（请参见图表8-1②）。

6. 找出各种风险之间的关联，再缩小范围

在表示影响度和不确定性的风险矩阵上，网罗了大量的风险因素之后，下一步是思考彼此之间的关系，并锁定几个风险因素。

当我进行顾问咨询或是讲习课程，请参加者分析环境风险时，大家都可以在短时间内列举出许多风险因素。一不小心，便有人草率下结论："居然有这么多风险因素，这个计划太危险了，还是放弃吧"，或是"虽然有这么多风险因素，但总会有办法克服"，等等。

然而，重点是你必须缩小风险因素的范围，锁定重要的因素。如此一来，才知道应该将重心放在何处。你可以运用几个重点来进行锁定，例如因果关系、相关性、因子分解、因子统合，等等。

①以因果关系锁定：如果A因素是原因，B因素是结果的几率很高，那么大多数情况下只要锁定其中一项即可。

②以相关性锁定：如果A因素和B因素没有因果关系，但是C因素一发生，有很高的几率会发生D因素，那么也只要锁定其中一项即可。

③以因子分解锁定：从构成因素来分解某个风险因素，借以减少数量。例如，若X风险因素是由a、b、c3个因子所构成，那么把a、b、c编入X当中即可。

④以因子统合锁定：将多种风险因素群组化，借以减少数量。例如，若d、e、f3个因子可以结合成Y，那么只要将焦点放在Y，将d、e、f 移除也无妨。

图表8-3　风险矩阵的例子

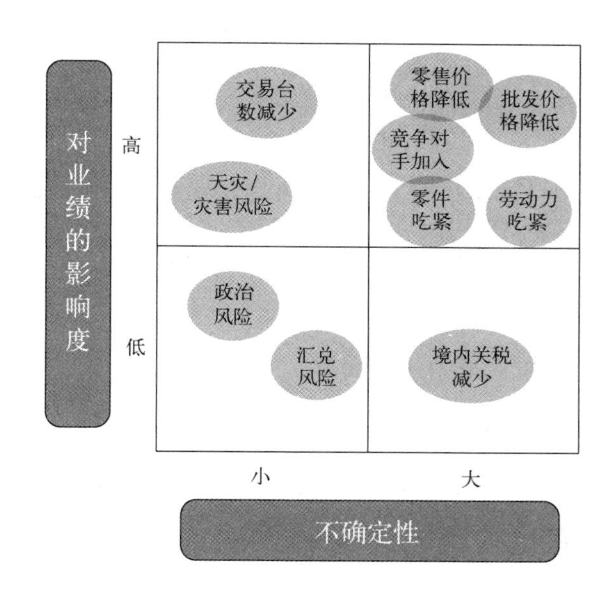

（注）这个事例的当事者是国外的制造公司，而且是供给国内的关系企业进行销售，因此在内容上并不具备一般性和逻辑性，不宜直接套用于其他案例。

7. 要特别重视右上方的风险因素

完成上述作业之后，只要锁定两个风险因素即可。这两个风险因素形成脚本的骨架，也就是决定了步骤③“制作环境脚本”中脚本矩阵的两轴（请参见图表8-1③）。因此，它们又被称为“脚本驱动程序”。

在拟定脚本的最后一个步骤中，必须特别重视右上方第一象限的位置。对于当事者来说，这里的因素不仅影响度大，而且不确定性高。而左下方的因素影响度较小、不确定性又较低，因此可以忽略。

其次，麻烦的是左上方的风险因素，虽然不确定性低、未来可预测度高，但是影响度很大。虽说能够事先拟定应对策略，但即使判断这个因素不确定性很低，而判断本身就是一种不确定，因此还是有可能出差错。所以，左上方因素的重要性应该仅次于右上方。至于影响度，以我的经验来说，少有因为对影响度判断错误而发生危害的例子，毕竟已经将这个风险因素纳入脚本中。

8. 锁定两个彼此独立、互不影响的风险因素

经过统合整理之后，最后锁定两项最好不会互相影响的因素。风险因素的独立性是建构高质量脚本的重点，其原因在于，一旦两个脚本驱动程序（两轴）的相关性太高，就无法制作出性质相异的脚本。当然，要两者完全为独立变量有点困难，毕竟处理的对象是社会、经济现象，大部分最后都会扯上关系。但请留意，尽量挑选出互不影响的因素。

图表8-4　锁定风险因素

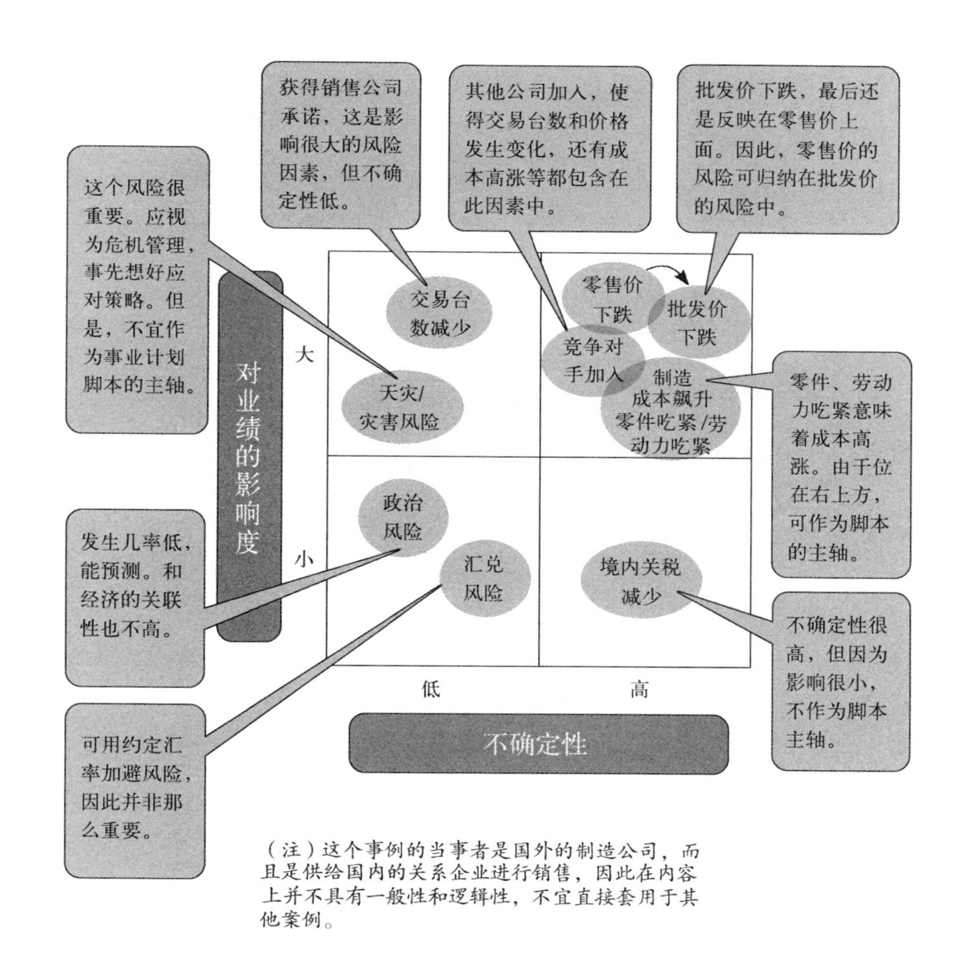

（注）这个事例的当事者是国外的制造公司，而且是供给国内的关系企业进行销售，因此在内容上并不具有一般性和逻辑性，不宜直接套用于其他案例。

9. 以两个独立而重大的风险因素当作脚本主轴

脚本驱动程序表现得太过具体，或是太过抽象、笼统都不好，以采取适度的抽象表现为佳。其实，构成环境脚本的“轴”，最好是与当事者目标直接相关的项目（参数），例如业绩等。换句话说，轴的内容最好显得清楚。

如果轴的内容太模糊，就无法清楚表示它对当事者的目标有什么具体影响，也很难套用具体参数。但是，如果轴的内容过于琐碎，就容易排除其他重要的风险因素。相反地，要是太过抽象，内容会变得空洞，而且抽象表现涵盖很多因素，容易与另一轴产生相关性。因此，脚本驱动程序要采取适当的抽象表现。

10. 所有风险因素都能由两轴涵盖

关于建构脚本，我经常被问道：“风险因素这么多，有办法全部归纳于两个风险因素中吗？”在拟定脚本上，这个问题可说是相当常见。我的回答是：“几乎都放得进去。”如果真的有困难，就用3个风险因素。然后，进行两两配对之后，可以产生8套脚本。

假设对于每套脚本你都想出3种替代方案，就会出现24种状况。另外，如果你对于每套脚本分别想出两种替代方案，则会产生16种状况。这样的确能够应付很多情况，但是数量太多，在实务应用上意义不大。

图表8−5　风险矩阵的例子

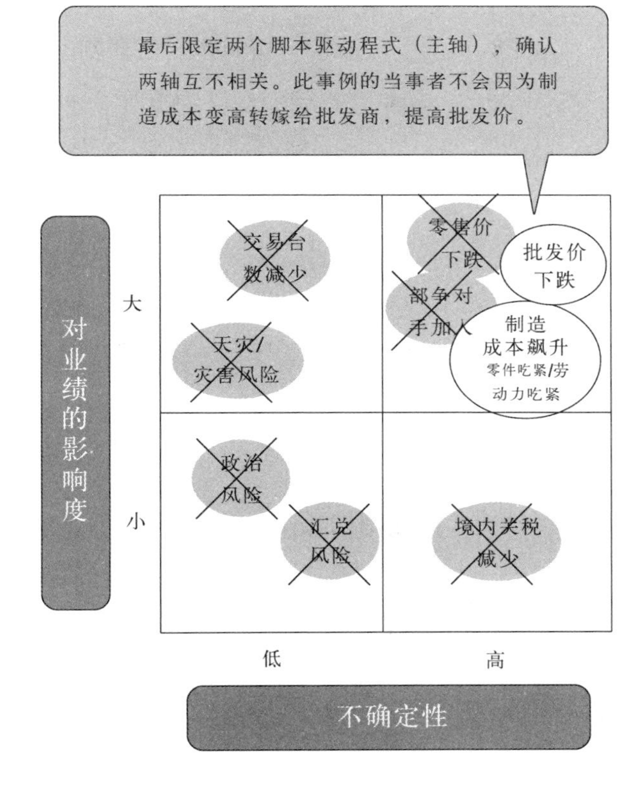

（注）这个事例的当事者是国外的制造公司，而且是供给国内的关系企业进行销售，因此在内容上并不具备一般性和逻辑性，不宜直接套用于其他案例。

11. 分析，先求容易理解，再讲究精准度

锁定两个风险因素，可以拟出4套环境脚本。每套剧本配上3个替代方案，就会产生12种情况可供评价。如果变量增加，分析的精密度便会上升，相反地，简单分析则较容易理解。我想对于分析者而言，如何在这两者之间取得平衡，或许应该是永远的课题。

我的建议是，即使某种程度上牺牲了分析的精密度，仍然要以容易理解为优先考虑的因素。无论分析手法多么优秀，如果难以运用、无法理解和说明，也无法展现成效。

12. 脚本主轴总是归结在这几项因素

以我的经验来说，脚本驱动程序（轴）很少出现让人惊讶的风险分析选项，多半是几个常见的因素。以企业经营环境为例，虽然具体的情况不同，但是大部分离不开需求、供给、收入、成本等选项。当然，有时候也会有法规方向、技术发展等，这些都可以成为脚本驱动程序。

在大多数的情况里，脚本驱动程序的选项总是某几项因素。重要的是，这些常见的选项是分析所有环境风险后得出的结论。也就是说，**重点在于，环境风险因素的本质是否汇集在两个脚本驱动程序当中**。因此，当有人询问你具体的环境因素为何时，你要能说明为什么选择该因素作为脚本驱动程序。

图表8-6　驱动程式的相关性（不好的例子）

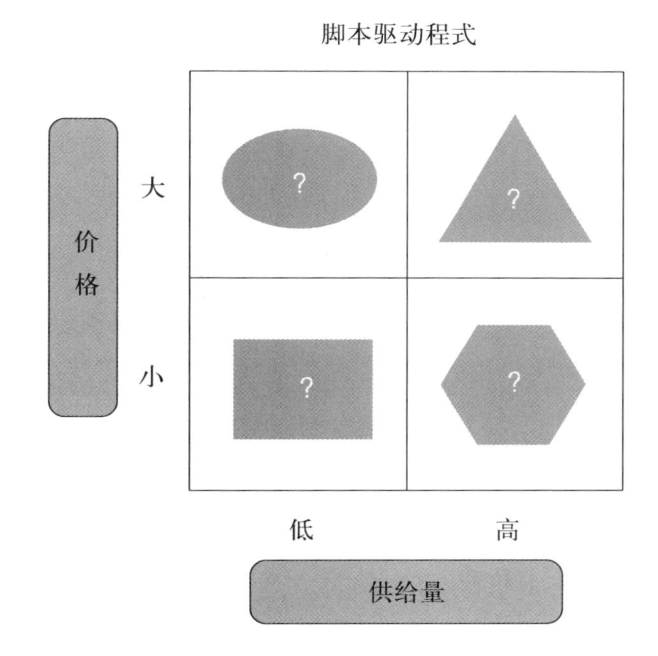

（注）价格和供给量经常互相影响，因此很难拟出好的脚本。若产品供给过剩，价格会下跌。所以，选择这两项因素便失去脚本驱动程式的作用。一般来说，会选择供给和需求这两项独立变数。

13. 天灾或灾害属于危机管理，别列入脚本

一般而言，挑选作为脚本驱动程序的风险因素时，最好避开天灾或是灾害、事故等。不可否认，这些因素确实很重要，因为一旦发生，影响非常大。事实上，当大地震发生时，工厂有可能停止运转，而且物流系统会被截断。另外，发展中国家若是发生军事政变，对于当地的作业会有很大的冲击。这绝对是一件值得重视的事，而且没有人能肯定某件事“明天绝不会发生”。

但是，这类情况发生的可能性很低，不确定性也很低，因此被放置在风险矩阵的左上方。话虽如此，却不能忽视。由于这些风险发生时的冲击太大，因此必须事先做好灾难规划（紧急应变计划）。换句话说，这个部分应该归类在危机管理的项目，确实地预先制定预防与应对策略。然而，企业经营策略的脚本通常都是商业环境脚本，应该与危机管理有所区分。

制作环境脚本

o Mckinsey, Problem Analysis and Solving Sk

1. 环境脚本应维持中立

在风险矩阵中，锁定两项环境风险，并将它们当作脚本矩阵的两条轴线之后，下一步就要开始制作脚本（步骤③，请见图表8-1③）。首先，将每项风险

图表8-7　风险矩阵的基本说明

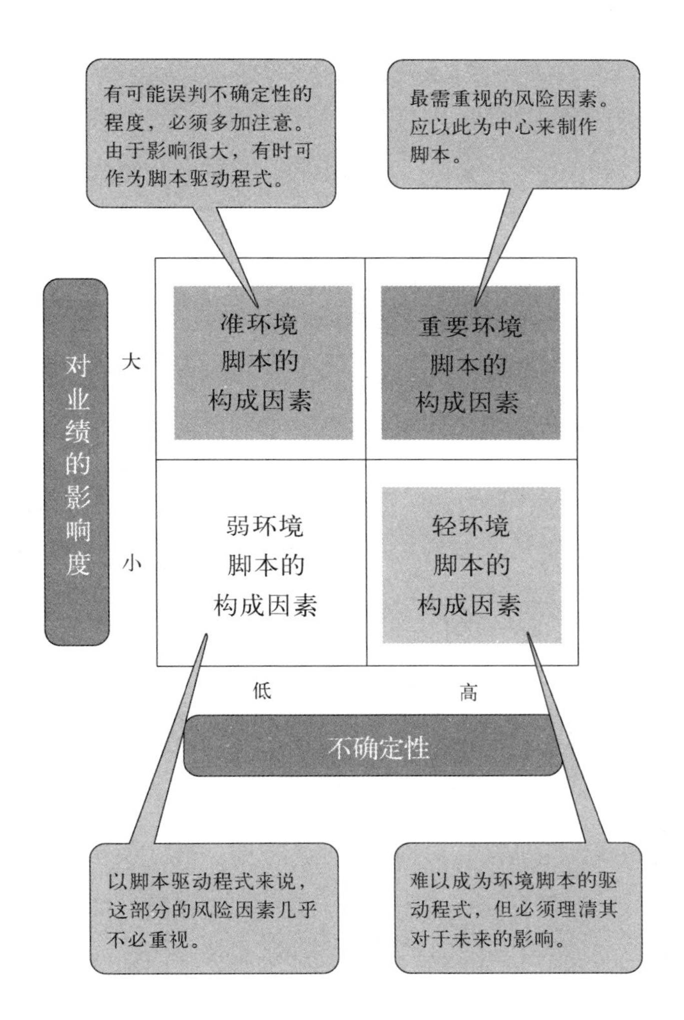

因素，也就是脚本驱动程序，区分出高低、大小或有无等。借由这些组合，决定脚本的结构。一般而言，矩阵的右上方（第一象限）会出现最佳脚本，因此这是最重要的位置。

不过，这种状况只限于脚本序列明确的时候。只有假设某些特定行动的解决策略，才能以这样的序列[①]来评价环境脚本。如果解决策略的内容改变，环境脚本的评价也会跟着改变[②]。换句话说，脚本的好坏取决于对行动的假设。从这个观点来看，每套环境脚本并没有好坏之别。

2. 以两种有对比的状态来描述主轴

就像锁定两项风险因素作为两个脚本驱动程序（两轴）一样，必须把每轴的可能状态分为对比的两种描述。举例来说，假设脚本为“产品需求”，即使可以划分得很细，但是我建议最好只分成“提升”和“疲软”。在文字表现上并没有限制，增加、减少、高、低都可以。例如，以某项技术的发展为例，你可以用“可以”或“不可以”商业化来表示。

重点在于，区分成两种状态可以简化分析，如果分成三种，则脚本的数量会大增。关于优缺点，与前文讨论锁定风险因素时一样。换句话说，到底是要提高分析的精密度，还是以容易理解为优先？我的建议还是一样：即使在某种程度上牺牲了分析手法的精密度，仍然以容易理解为优先。理解之后，再求精密。

---

① 编按：第一象限是最佳、第二象限是必须注意。

② 编按：有可能第四象限是最值得注意，后面石油危机的案例即是如此。

图表8-8 环境脚本：案例一

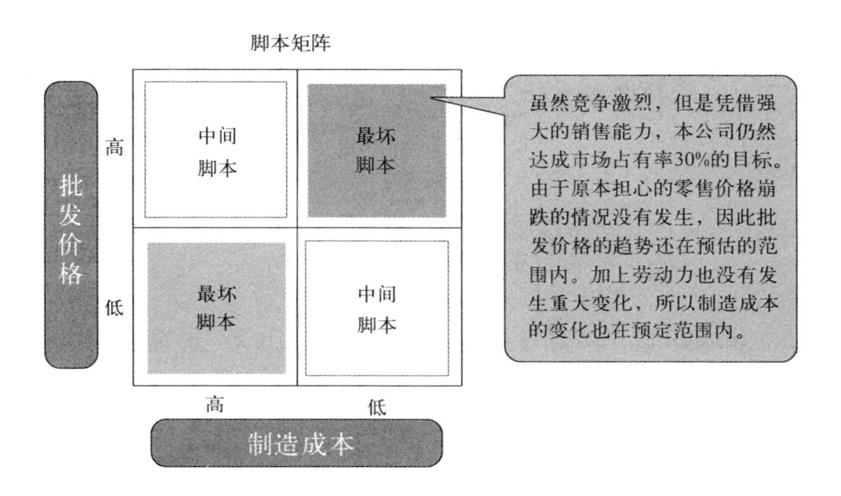

图表8-9 环境脚本：案例二

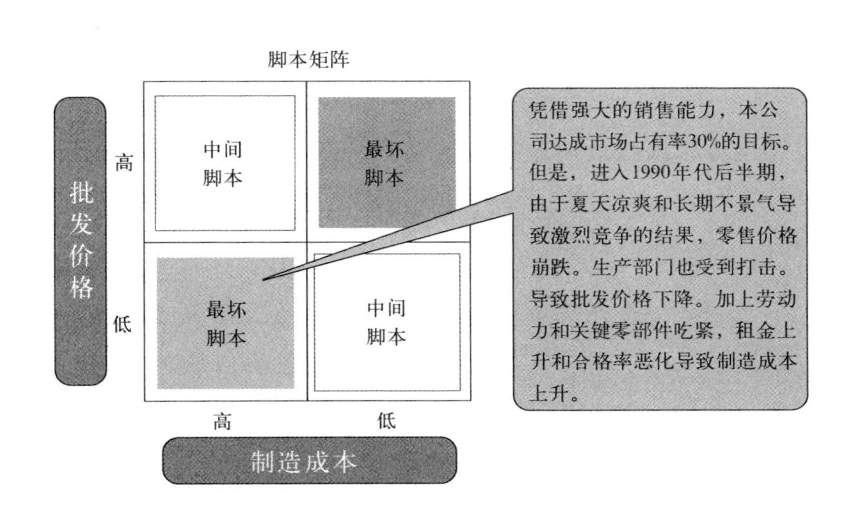

3. 两种主轴、各两种状态，组合出四种脚本

完成脚本矩阵之后，脚本的故事雏形就已经完成了。借由组合这两条轴线的状态，建构出脚本。将两个驱动程序（两轴）都区分成两种状态，就可以拟出四套脚本。

接下来，我要介绍一个著名的情境分析案例——荷兰皇家壳牌公司（Royal Dutch Shell）对于石油危机所做的情境分析。在相关的书籍中，几乎都会提到这个例子。壳牌公司堪称情境分析理论与实务上的先驱，这个例子有助于理解建构脚本的手法。我将按照前面提到的步骤，依序进行解说。

壳牌公司的情境分析事例

1. 壳牌以情境分析度过石油危机

第二次世界大战之后，全世界历经了1973年和1978年两次石油危机。

第一次石油危机改变了先进国家的世界观，起因于1973年10月的第四次中东战争。进入1970年代后，美国的中东政策无法解决区域问题。面对美国对以色列的军事支持，沙特阿拉伯表达强烈不满。

1973年10月，埃及进攻苏伊士运河东岸，叙利亚进攻戈兰高原，爆发阿拉伯

国家对以色列的第四次中东战争。之后，沙特阿拉伯也加入阿拉伯阵营，决定参战。但是，以色列军队在美军的支持下，压制了阿拉伯势力。结果，阿拉伯各国断然对几个亲以色列国家实施石油禁运政策。

壳牌公司在石油危机发生之前，便已经通过情境分析，预料到中东原油生产国有可能实施石油禁运。因此，相较于其他石油公司，壳牌公司受到的伤害减轻了许多。

2. 大型石油公司的脚本过于单一美好

第二次世界大战后，被称为“七姐妹”（Seven Sisters）的世界七家大型石油公司当中，除了壳牌之外，都把石油产品的需求与原油供给视为确定因素。对于石油公司而言，这两项风险因素影响非常巨大。但是，大多数石油公司认为这两项因素的不确定性很低，于是在建构脚本的步骤中，把这两项因素放在“风险矩阵”的左上方位置。

事实上，对于先进国家而言，当时石油产品是必需品（现在也是如此）。而且，由于没有其他的替代品，因此大家都相信在经济成长的同时，石油产品的需求也将稳定成长。另一方面，在原油供给上，蕴藏量已被证实还很丰富，因此石油公司认为只要开采就有原油。所以，他们将上述的因素视为确定因素。

接着，让我们思考步骤，也就是大多数石油公司所想出的脚本矩阵。其纵轴与横轴（两个脚本驱动程序）分别是产品需求与原油供给，轴的可能状态都是“增加”或“减少”。因此，就他们的想法而言，产品需求和原油供给很可能都会大幅增加，于是描绘出梦幻般的美好脚本（美好环境下的脚本）。事实上，大多数的大型石油公司之所以有辉煌的业绩，也都是靠着预测这种单一脚本。

3. 假设一个原油供给不确定性的脚本

但是，壳牌公司跟其他的公司不同。该公司虽然同样将产品需求放在风险矩阵的左上方，但是将“原油供给”这项风险因素移往右上方，而非左上方。其原因在于，该公司判断当时中东形势的不确定性正在增加，于是在脚本矩阵里，除了过去的“单一美好脚本”之外，还描绘了“产品需求稳定提升、但原油供给停滞”这套石油危机的环境脚本。

假如这套新脚本确实灌输进企业组织内部，就等于壳牌公司已在事前就模拟、体验过石油危机的发生。因此，当危机真正发生时，他们不会惊慌失措，而能够坦然面对、冷静处理。

当然，只分析环境脚本，价值不高。重要的是，如何活用这项分析。壳牌公司模拟出石油危机的脚本，早一步将情境分析的结果应用在自家公司的投资战略上。

其实，壳牌公司在投资案件中，就是利用情境分析，实行解决问题中的“评价替代方案”（已在前文说明过，请参见第六章）。换句话说，该公司将自己的行动（投资的替代方案）对照可能发生的环境脚本，做出评价。关于这一点，我将在后面的章节中详细解说，如何利用脚本／行动矩阵，来评价替代方案。

4. 要建设新工厂，还是改善既有工厂？

石油公司的投资案件，也就是该公司的行动，可大略分为以下几种。在上

图表8-10　壳牌公司的环境风险和脚本

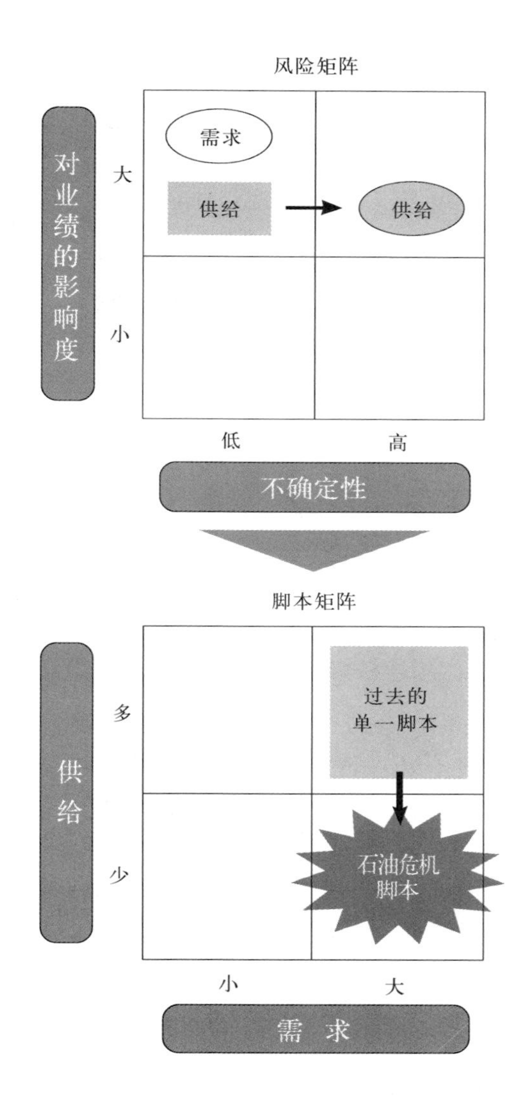

游是开采原油的相关投资，像是挖掘原油的油井等；在下游是投资在建构石油产品的销售网络，像是配送、加油站等；在中游则是投资石油精炼设备，例如建设石化产品工厂等。在石油危机的脚本中，敏感度最高的投资是精炼设备的相关投资。另外，精炼设备的投资还可以分为“建设新工厂”和“改善既有工厂”。

如果以脚本／行动矩阵来思考，纵轴代表环境，横轴代表行动（解决问题的替代方案）（请参见图表8-12）。因此，壳牌公司在纵轴上把过去的美好脚本替换成石油危机的脚本，在横轴上则是选择“建设新工厂”与“改善既有工厂”这样的替代方案。两套脚本、两个行动，可以预想出4种状况。这时候，可以选一个特定的行动，再对所引发的状况予以评价。

5. 壳牌将石油危机脚本运用在评估投资战略

如果将建设新工厂这个行动设定为美好脚本，就可以将它评价为经济性高的投资，因为石油公司既可以拿到便宜的原料（原油），制造出来的产品也卖得好。

但是，如果环境脚本改变，情况就不同了。在石油危机的脚本中，建设新工厂这个替代方案所得到的评价会明显降低。即使石油产品需求旺盛，但因为原油价格高涨，加上供给停滞，增设工厂只会加重负担，对企业而言是避之不及的事。

那么，在“改善既有工厂”上做投资又如何呢？追加既有精炼设备的投资，使精炼设备能用一定量的原油来生产附加价值较高的产品，例如汽油、煤油、轻油等。相反地，也可以投资一些能以少量原油来生产高价值产品的装置，例如流体催化裂化装置（FCC，Fluidized Catalytic Cracking）等。

图表8-11 石油公司的投资案件

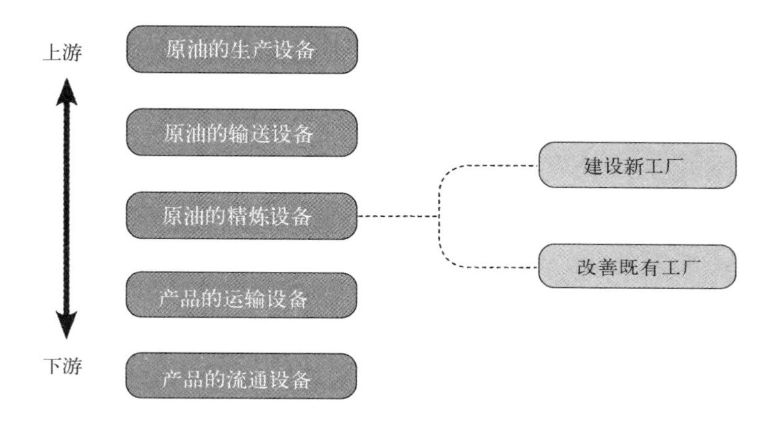

图表8-12 脚本/行动矩阵

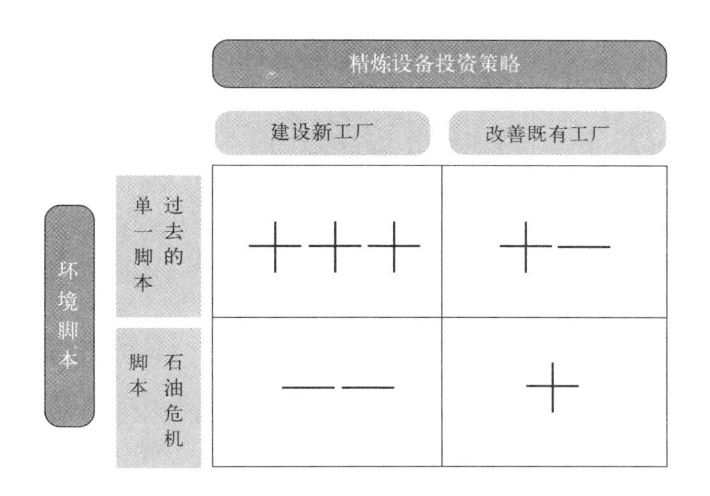

但是，这些装置价格甚高，不利于减少成本和增加生产能力，并不经济。因此，如果原油过于便宜，或是精炼出来的汽油、煤油等产品价格无法提升，那么“改善既有工厂”这项方案的经济性便所剩无几。换句话说，在美好环境脚本中，“改善既有工厂”方案的评价甚低。

6. 在石油危机脚本中，投资改善既有工厂非常有利

但是，在石油危机脚本中，“改善既有工厂”方案的评价大为提升。如果原油价格高涨，追加投资在节约原油的产业上，效果将会大增。同样地，如果石油制品的价格高升，高附加价值产品的经济效果也会大增。不仅如此，在石油危机脚本中，投资在建设新工厂的回报非常低。因此，在相对评价上，改善既有工厂比建设新工厂要好得多了。

实际上，当石油危机脚本成为事实时，壳牌公司比其他任何一家公司更早一步将投资变换成改善既有工厂。

将目光拉回到现在，由于中国的经济成长飞速，造成石油的需求扩大，加上中东形势混乱，因此从2004年至2006年之间，原油价格节节攀升。面对这个形势，日本的石油公司所采取的行动是改善既有工厂。

虽然人类致力于开发新的汽车燃料和电动车科技，希望有朝一日能取代石油制品，但很遗憾地，碰到原油价格高涨的替代方案，相较于30年前并没有进步多少。

图表8－13　脚本/行动矩阵图

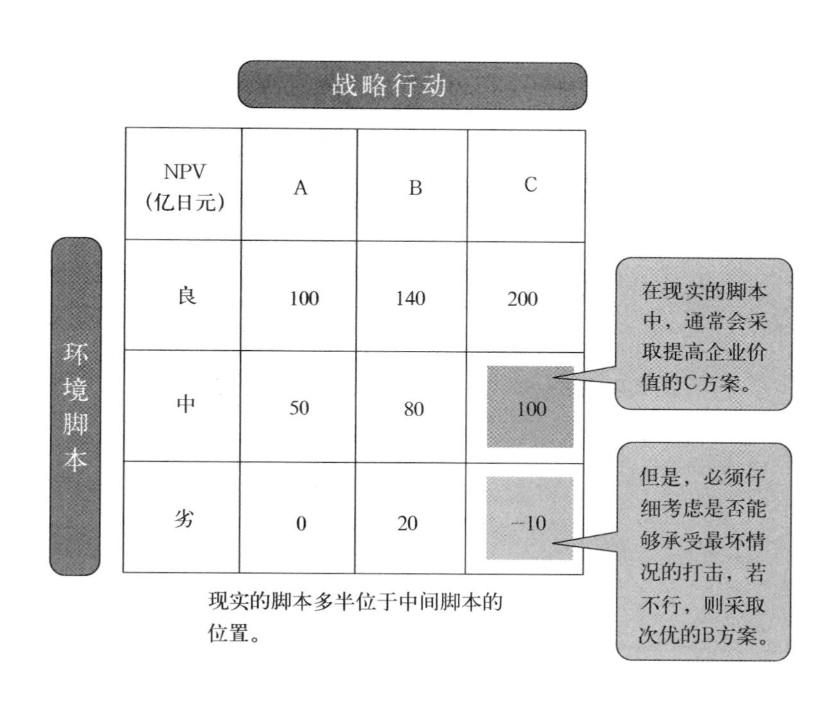

（注）NPV：净现值（Net Present Value）是评价投资案件的一种常见方法。

第9章 结合脚本和替代方案

- 用环境脚本评价各替代方案
- 制作脚本／行动矩阵
- 评价企业的投资，用净现值来分析

用环境脚本评价各替代方案

Mckinsey, Problem Analysis and Solving Skills

我们已经学会如何制作环境脚本。情境分析就是在解析自己无法掌握的风险因素。如同前面解说壳牌公司的事例，制作脚本本身并非目的，其使用价值在于提升解决问题的质量。**情境分析是一种系统性的手法，以不确定性为前提，对解决问题中的替代方案进行评价。**

先将到目前为止所介绍的步骤重新整理一次：发现问题之后，设定具体的课题，接着选出与解决课题相关的替代方案。从“利多”和“利空”两方面来评价各个替代方案，找出最适合的解决策略。然后，为了确保付诸实施后，能在未来产生效果，还要使用情境分析，来评价防范潜在型和追求理想型问题的解决策略，因为这两类问题的解决策略能否发挥成效，容易受到环境变化的影响。

1. 用脚本／行动矩阵掌握状况

下一步，是将替代方案的行动套用在环境脚本中做评价。使用的方法是绘制脚本／行动矩阵。在这个矩阵中，如同壳牌公司的事例，纵轴表示环境脚本，横轴则是行动（替代方案）。这个矩阵刻意将环境脚本和解决策略放在一起。假设环境脚本有3套，行动的选择项目有3种，就会出现9种状况。

这些状况显示了在某种环境脚本中采取某种行动后的结果，换句话说，表示每项行动可能会发生的状态。因此，脚本／行动矩阵可以显现出解决问题时所有可能出现的面貌。

请回顾刚才在壳牌公司事例中所列出的脚本／行动矩阵。这个矩阵虽然形式比较简单，只有四种状况，但显示了壳牌公司在思索精炼设备的投资行动时，想到的所有可能面貌。

2. 以切身的例子确认流程

为了方便让大家理解，我再次用“今天可能会下雨”这个切身的防范潜在型问题来做确认。之前我们已经思考过，如果要提出掌握问题本质的设问，那么其本质性课题应该是“该怎么做才不会被雨淋湿”，而这同时也是一项预防策略。

接下来，我们替他想出几个不被淋湿的替代方案，例如不要出门、开车出门、等雨停等，最后T选择了最务实的方法“带伞出门”。虽然每一项解决策略都能解决“不被淋湿”的问题，但是从成本（也就是实施行动的利空）来看，带伞出门应该是最佳决策。假如要解决的问题是属于“普通的下雨天”这种单一脚本的预测，大致上到这里就算告一段落。

制作脚本／行动矩阵

b Mckinsey, Problem Analysis and Solving Sk

但是，如果我们也将另一个重要的不确定因素“风也有些奇怪”，当作环境风险，那么就得进行情境分析。以很可能会发生的现实环境脚本来说，可以假设出几种状况：

“风势雨势都很弱”的小雨脚本

“风势很弱、但雨势很大”的大雨脚本

“风势雨势都很大”的强风暴雨脚本

更进一步，以现实的行动来说，有几种选择：

“带折叠伞出门。”

“带大雨伞出门。”

“带雨衣出门。”

为了简化分析，这里不做行动的组合。决定了脚本和行动之后，就可以制作矩阵。在纵轴放上环境脚本，在横轴放上行动，就会出现9种状况。

3. 评价可能发生的脚本

以环境脚本的类别分析每项行动，就能俯瞰全貌，以下是我凭个人之见所做的评价。

①折叠伞

在小雨的脚本中，折叠伞的评价最高。不仅不会被淋湿又方便携带，所以评价为95分。但是，在大雨的脚本中，折叠伞就没那么好用了，多少会被淋湿，所以评价为60分。在强风暴雨的脚本中，小伞不只容易“开花”还会变成落汤鸡，

图表9-1 脚本/行动矩阵图（下雨例子）

环境脚本 \ 战略行动	折叠伞	大雨伞	雨衣
小雨脚本	95分	80分	50分
大雨脚本	60分	90分	70分
强风暴雨脚本	30分	40分	85分

所以只有30分。

②大雨伞

如果带把大雨伞出门呢？在小雨的脚本中，大雨伞可以避雨、但携带不便，所以评价为80分。在大雨的脚本中，大伞比较可靠，即使携带不便，评价也有90分。而在强风暴雨的脚本中，即使大伞不会开花，还是会被旁边打过来的雨淋湿，所以只有40分。

③雨衣

如果穿雨衣出门呢？在小雨的脚本中，不管雨衣的避雨功能有多好，穿着走在路上总觉得难看，所以评价为50分。在大雨的脚本中，虽然很好用，但还是不好看，所以评价为70分。在强风暴雨的脚本中，即使雨从旁边打来也不怕，即使样子难看些，还是有85分。

这个“看起来快下雨”的例子，属于日常生活中的小事。然而，即使用于假想大企业的经营策略，基本的思考方式也是相同的。不管大事小事，日常与否，问题就是问题，剩下的是当事者对于问题细节的信息掌握得够不够彻底。

评价企业的投资，用净现值来分析

Mckinsey, Problem Analysis and Solving Skills

在下雨的例子中，我简单地为各种状况进行定性分析，并打上分数。但是，在思考企业经营策略时，应该要做更严谨的定量分析。但是，这不是本书的重点，因此不详细介绍。一般而言，最具代表性的定量分析为“净现值”（NPV，Net Present Value）。

所谓“净现值”分析，就是先预测某项策略会替公司带来多少现金收入（自由现金流），再除以加权平均资金成本（WACC，Weighted Average Cost of Capital），重新计算出现在的价值，最后再减去原始投资额，剩下的余额就是NPV。简单地说，将某个策略所带来的金钱价值，减去为了达到目的必须付出的成本，就是有多少赚头。但是，要注意净现值并不等于会计上的利润。

4. 还可以用IRR进行追加分析

熟知投资分析的读者当中，或许有人会问：“为什么不做IRR分析？”我的回答是：“当然可以。”其原因在于，进行内部报酬率分析（IRR，Internal Rate of Return）的评价也是有益的。**不过，要注意IRR仅是“内部”的报酬率，还需要**

与资金调度的成本做一番比较。

还有一点要注意，由于IRR是“报酬率”，因此很难产生看到具体金额这样的效果。举例来说，假设某个案件的IRR为12%，如果它的WACC为15%，那么损失为3%。即使我们看到这个数字，能理解这是不好的状况，却无法实际感受到这3%的损失到底有多少金额。所以，我建议使用NPV比较清楚。当然，如果能一并使用IRR分析，那就最好不过了。

5. 定性分析很重要

不管是NPV或是IRR，在进行定量分析之前，前置作业的定性分析非常重要。也就是说，进行数值分析之前，一定先要做好定性分析。其原因在于，如果每个案例都没有做好定性分析，就不知道内容为何，也拿不出数字来。换句话说，定量分析也是把定性分析置换成数字的作业。

第 10 章 解决策略的选择顺序

- 剔除超出容许范围的解决策略
- 思考环境脚本各状况的发生几率
- 考虑风险和报酬，再选择行动

在脚本/行动矩阵中的所有状况，都已经做出定性和定量的评价之后，接着是付诸行动，也就是从所有的替代方案当中选出最佳解决策略。这是解决问题的最后一个决策，依照以下的3个步骤去进行，效果最好。

①剔除超出容许范围的解决策略

②思考环境脚本各状况的发生几率

③考虑风险和报酬，再选择行动

剔除超出容许范围的解决策略

让我们一个步骤一个步骤来检查。首先，确认每项解决策略的最坏状况。在下雨问题的脚本/行动矩阵里，最坏的状况分别是：

“带折叠伞出门”	30分
“带大雨伞出门”	40分
“带雨衣出门”	50分

在确认了最坏的状况之后，接着确认“超出容许范围的状况”，也就是付诸行动之际不能冒的风险。如果有风险超出容许范围，那么最好剔除那项解决策略。

回头看这个问题的初始课题："该怎么做才不会被淋湿"。假设超出容许范围的风险是被雨淋湿，那么在"强风暴雨"的环境脚本中，由于"带折叠伞出门"还是会被雨淋湿，算是超出容许范围的风险，因此最好将"带折叠伞出门"剔除在选项之外。

1. 发生几率非常低，也算是可忍受的风险

对于"剔除超出风险容许范围的行动"这个想法，或许有人会提出疑问："如果最坏情况的发生几率相当低，那么实际上可以将它纳入可忍受的风险选项中吗？"

举例来说，思考一下"搭乘飞机"这个行为。如果坠机，几乎可以说是必死无疑，一般而言，没有人可以忍受这种风险。但是，飞机是少数几种安全性最高的交通工具之一，坠落的几率极低。所以，我们还是根据自己的需求来搭乘飞机。换句话说，即使风险是无法忍受的，但只要发生几率微乎其微，实际上可以把它纳入可忍受的风险选项中。

2. 环境脚本列举的都是可能发生的状况

但是，这里提及的环境脚本全部都是未来可能成真的蓝图。也就是说，这些脚本都有可能发生。

对此，我经常用"俄罗斯轮盘式的几率"的比喻来表达。首先将左轮手枪放进一颗子弹，在旋转左轮之后，便不知道子弹在哪个位置，接下来两个人轮流朝着自己的脑袋扣下扳机，这就是所谓"俄罗斯轮盘"的死亡游戏。如果这把手枪

是可装填6发子弹的左轮手枪，丧命的机会就是六分之一。我认为，不管奖赏多么诱人，奖金多么高，精神状态正常的人都不会想要玩吧。

思考环境脚本各状况的发生几率

思考脚本的发生几率时，要谨记不可能有完美的预测。这是选择解决策略的步骤。

世界上，没有能完美计算出发生几率的方程式。因此，要基于过去的统计或是分析者的意见，设定出最有说服力的几率。换句话说，几率的设定必须论据明确。这时候，拘泥在微妙的差异并无帮助，比方说，把时间花在讨论风险该定为32%或是34%，只是浪费时间。但是，讨论风险该定为30%或是60%，则是有意义的。总而言之，所有环境脚本发生几率的总和必须是100%。

思考发生几率时，最重要的是尽可能排除“我希望这么发生”的主观成见。换句话说，不能受到分析者“过度乐观”的干扰。预防之道是，许多个分析者交换意见，就可以有效减少犯下这种错误的几率。如同环境脚本的制作过程，思考发生几率时的重点是：达成共识的过程比脚本是不是真的会发生还要重要。

交换意见之后，可以开始设定环境脚本的发生几率。例如：

“风势和雨势都很弱”的小雨脚本	30%
“风势很弱、但雨势很大”的大雨脚本	60%
“风势雨势都很大”的强风暴雨脚本	10%

考虑风险和报酬，再选择行动

现在，脚本／行动矩阵中所有状况实现时的评价与发生几率，都已设定完毕。接下来，要考虑各项行动的风险和报酬，并斟酌决策者的“风险图像”（Risk profile），来选定解决策略。

风险图像是指当事者对不确定性的喜好。有些人即使知道行动带有危险，但仍对高报酬有乐观的期待；也有人喜欢报酬普通、低风险的行动。

为了让各位理解思考的过程，我们将原来剔除的“带折叠伞出门”这个解决策略，加进来一起分析。

以顺序来说，首先要掌握每项解决策略的特色。接着，讨论每套环境脚本。你可以讨论各种状况的定性分析，如果已经评价出数据，也可以直接比较数据。由于前文已在“下雨问题”的例子中设定分数，因此直接拿来进行解说。

1. 掌握每项解决策略的特征

“带折叠伞出门”的行动是高风险／高报酬。在发生几率30%的“小雨脚本”中，这项行动得到95分的高分。虽然“强风暴雨脚本”的发生几率只有10%，但是带折叠伞只得到最低分30分。于是，最高分和最低分的幅度相差65分。在发生几率最高60%的“大雨脚本”中，这项行动的分数并不高，只有60

分。在和发生几率加权之后，“带折叠伞出门”这项行动的平均分数是67.5分，在三项行动中属于高风险（$95\times0.3+30\times0.1+60\times0.6=67.5$）。

“带大雨伞出门”的行动，在“小雨脚本”中得到不错的分数80分。在“强风暴雨脚本”中，这项行动得分不算最低，但也只有40分。于是，最高分与最低分相差40分。在“大雨脚本”中，这项行动的分数最高，有90分。在和发生几率加权之后，“带大雨伞出门”这项行动的平均分数是82分，是三项解决策略当中的最高分。由此可知，这项行动带有中等的风险。

“带雨衣出门”的行动，在“小雨脚本”中得到50分，并不起眼。但是，在“强风暴雨脚本”中，这项行动却得到85分的高评价。于是，最高分和最低分相差35分，相差幅度是三者当中最小的。而在发生几率最高的“大雨脚本”中，这个行动得到还不错的分数70分。在和发生几率加权之后，“带雨衣出门”这项行动的平均分数是66分，属于低风险的行动。

2. 选定最终的策略

假如决策者的风险图像是一般的中风险／中报酬，他应该会选择“带大雨伞出门”。其原因在于，在发生几率最高的“大雨脚本”中，这项行动获得最高的评价，而且在和发生几率加权之后，这项行动的平均分数也是最高。

假如决策者偏好低风险／低报酬，他很可能会选择“带雨衣出门”，这是最保险的行动。相反地，如果决策者是偏爱高报酬的风险爱好者，他应该会选择“带折叠伞出门”。但要注意，如前文所述，虽然“强风暴雨脚本”的发生几率很低，但还是有被淋湿的危险。因此，如果认为这个风险超出忍受范围，最好将这项行动剔除在选项之外。

图表10－1　依风险偏好类型做决定

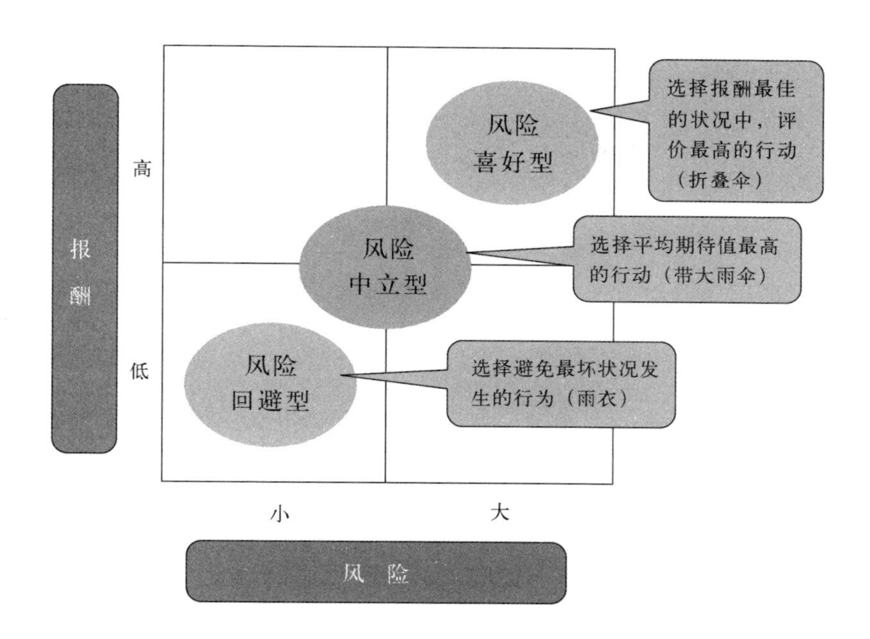

3. 如果决策者是赌徒

还有一种情况是，假如决策者是非理性的风险爱好者，换句话说，是一名赌徒，那么他或许会采取“不带任何雨具出门”的行动。在这次设定的环境风险中，没有“不下雨”（几率太低了）这个选项。如果有这个选项，赌徒可能会在这一套过度乐观的脚本上赌一把，但本书非常不建议这个行动选项。

不过，以脚本来说，即使不会放晴，只要有可能出现阴天的环境，请务必把它放进分析选项中。同样地，“不带任何雨具”的行动也应该成为现实的选项之一。

做决策时，请按照这套方法，切实地认识脚本／行动矩阵中各项行动所伴随的风险，并同时斟酌各个方案的报酬和发生几率，然后再做决定。

Part 3
麦肯锡的强项：分析

第11章

分析要合乎逻辑，其实很简单

- 分析与解决的基础：逻辑思考
- 逻辑不凭感觉，而是有具体主张和论述
- 以对方的立场检视自己的逻辑

分析与解决的基础：逻辑思考

h Mckinsey Problem Analysis and Solving Sk

解决问题时，分析力非常重要，而分析力的基础在于逻辑思考。在本书的最后，我将为各位整理并介绍逻辑思考的基本知识。

进行分析或是解决问题所需要的能力，追本溯源，都属于逻辑思考的应用范围。逻辑思考虽然堪称为所有业务的基本功，是一种非常重要的技巧，但是很少人能正确理解逻辑思考到底是什么。

事实上，有不少人认为自己不擅长逻辑思考或是逻辑表达。然而，无论你在思考和表达上多么想要变得有逻辑性，光是只有渴望还不够，必须知道该怎么做才有意义。首先，让我们先确认什么是逻辑思考。

1. 没有逻辑的主张，没有人理会

N（28岁，男性）在一家工具机厂商担任市场营销工作，是位认真负责的员工。他向上司建议："我们目前以卖断的方式销售产品，但未来应该改为以租赁的方式促销""用租的好""以后的主流绝对是出租"。N坚持自己的主张、充满热忱，打算说服上司。

但很可惜地，上司K（40岁，男性）没有丝毫回应，因为对K而言，N的"提案"充满了一厢情愿，丝毫没有逻辑性，就像是：

"这是一本好书。"

"S先生为人很亲切。"

"A公司是一流企业。"

这些句子都只是陈述主张，没有逻辑性可言。其实，这只是意见的表达，尚未进入逻辑性的层次。也就是说，N的发言仅是情感的罗列，尚停留在主张的程度。

尽管如此，若要评价N的主张，其优点是相当明确。在日本社会里，无论是政治家的发言或是一般民众的主张，都充满暧昧、模棱两可的色彩。至少，"目前我们以卖断方式销售的产品，在未来应该改为以租赁的方式促销"这样的意见，已经表达得非常明确。

2. 逻辑就是：说出主张，提出论据

逻辑性最基本的要求是"主张之后，提出论述"，也就是"说完想说的话之后，得好好说出理由"，让主张言之成理。光是热切地强调自己的意见，不能说服对方。为了增加主张的逻辑性，还必须提出论述。只有主张，会让人觉得莫名其妙。

当N理解到为了让表达更富逻辑性，最重要的是要提出论据，于是他赶紧将这项新知识付诸实践，对上司K说："我们公司应该采取租赁的方式促销。因为，将来租赁是主流。的确，从过去到现在，一般都认为工具机应该算是资产的一部分。但是，未来是租赁的时代，正因为如此，所以应该采用租赁的方式。"

很可惜，即使如此，上司K仍没有接受N的意见。他说："你的逻辑太跳跃了。租赁的时代到底是什么意思？我现在很忙，以后有空再听你说明。"

3. 逻辑太跳跃？因为论据无法支持主张

"主张之后，提出论述"的确是逻辑性的基础。然而，光只是形式上的论述，无法确保所表达的主张自动变得有逻辑，你提出的论据还必须切实支持主张。

虽然N这次有进步，但上司K对于他的提议做出一个评论：逻辑太过跳跃。也就是说，虽然N的论述缺乏说服力，但至少在形式上替他的主张加上了论据。

图表11－1　逻辑性的基础

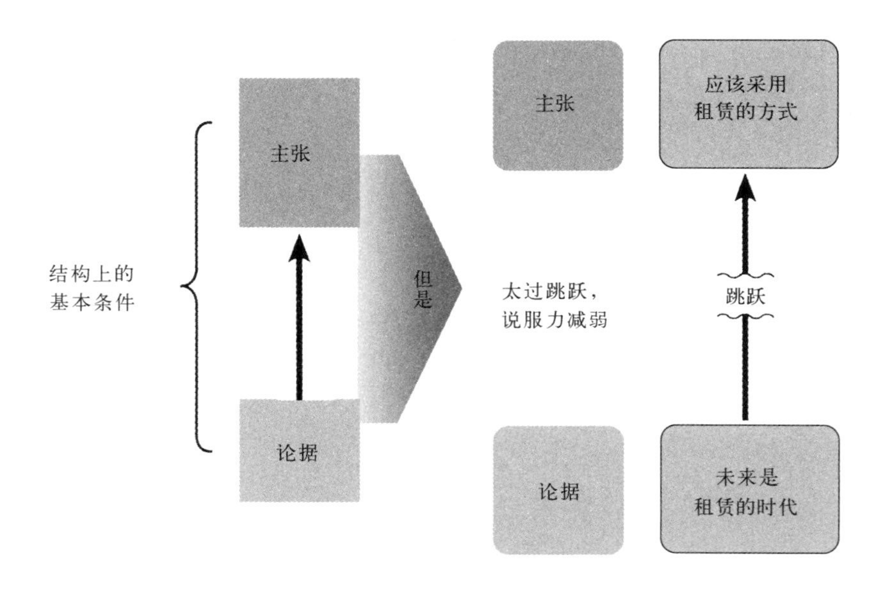

因此，我们可以说，N至少现在已经站在逻辑表达的大门口了。

的确，“未来是租赁的时代，正因为如此，所以应该采用租赁的方式”这种说法太过暧昧，连N也知道一点说服力也没有。这次N学到宝贵的一课，那就是论据必须切实地支持主张。N并不气馁，打算再度挑战说服上司K，N的优点就是毅力过人。

逻辑不凭感觉，而是有具体主张和论述

Mckinsey, Problem Analysis and Solving Skil

N扪心自问：“租赁的时代是什么意思？”他发现：“对了，这是一种感觉，应该提出更具体的说法。”于是，N开始思考为什么说未来是租赁的时代。结果，他提出一个结论：“对于使用者而言，租赁的方式好处比较多。”但是，N又想：“这也是主张，最好多搜集一些论据比较好。”所以，对于身为使用方的企业而言，他开始整理出租赁方式有以下好处：

> “不需要准备高额的购买资金。”
>
> “不必将工具机纳入资产，因此不必列入资产负债表。”
>
> “可以将租赁费用全额列入经费支出。”

N打算再度挑战，他对自己说：“租赁还有很多好处，不过这几点最具代表性。这次一定要说服上司K。”

N先告诉K：“我们公司应该采取租赁方式促销。的确，目前的主流是把工具

机当做公司资产的一部分。但是，未来是租赁的时代。换句话说，企业透过租赁方式拥有工具机将有很多好处。例如，不需要准备高额的购买资金。此外，不必将工具机纳入资产，因此不必列入资产负债表中。而且，还可以将租赁费用全额列入经费支出。”

1. 论述跳跃，逻辑上便欠缺说服力

结果，上司K回答：“采用租赁方式对使用者的确有很多好处。N，你的说明确实越来越有逻辑性，我懂你的意思了。但不能说服我的是，就算租赁对企业客户有很多好处，并不代表我们公司一定要采用这个方式。这之间的逻辑关系，还是有些跳跃。即使这件事对客户非常有利，但我们公司毕竟不是慈善事业，不能只考虑对方。所以，你再回去想想吧。”

看来N的逻辑已经有很大的进步。虽然仍然有些问题，但是连K也称赞他有逻辑性。N已提出具体的论述，来说明为什么出租方式对客户有利。换句话说，他已经能够进行逻辑性的说明，就差最后一步了。

2. 逻辑跳跃，问题出在“自以为是的默契”

N开始思考，“我们公司应该采用租赁方式。因为，对于企业客户而言，租赁有很多好处”这句话有何不妥。他觉得这句话听起来还颇有逻辑，于是反复思考K的评论：“就算租赁的方式对企业客户有很多好处，并不代表我们公司一定要采用，这个部分无法说服我。”

那天晚上，N在浴缸中泡澡时忽然灵光一闪：“对了，只要说用租赁的方式

能让公司赚更多钱就对了！由于租赁对企业客户有很多好处，因此公司的获利会提升，所以我们应该要采用租赁的方式。

“之前，因为觉得这很理所当然，所以根本没意识到需要说出来。仔细想想，即使租赁对客户有很多好处，但如果公司赚不到钱，就一点意义也没有。就是这个地方出现逻辑上的跳跃。我以为对客户有利就能提升公司的获利，这一点不用说大家都知道，所以省略了这段描述，没有明白讲出来。”

N终于发现，逻辑跳跃通常发生在没有明言，“自以为是的默契”。

以对方的立场检视自己的逻辑

Mckinsey, Problem Analysis and Solving Skil

现在我们知道，要具备逻辑性，必须“主张之后，提出论述”。另外，为了避免发生主观认定的问题，还要明确表达出尚未明言的主张，也就是“自以为是的默契”，这样可以增加逻辑上的说服力。

想确认是否犯下自以为是的默契的毛病，最好的方式是站在对方的立场，检视自己的主张及论述。尽量从对方的角度思考，确认自己的主张及论述是否能让对方理解。当然，我们不可能百分之百知道别人的想法，但是可以尽可能反复推敲对方的立场及想法。如此一来，就可以知道自己的论述哪里产生跳跃，进而找出逻辑上的盲点。

图表11－2　让自以为是的默契明朗

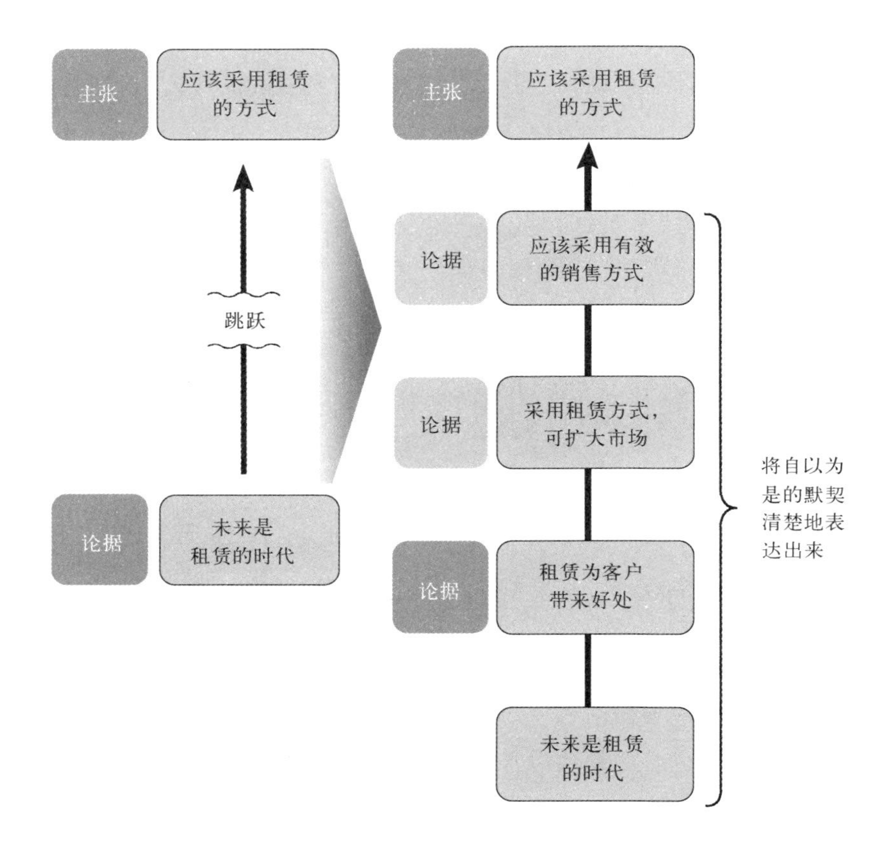

1. 用“后设认知”检视自己的逻辑

N的分析是要说给上司K听，因此N必须站在K的立场来修正自己的逻辑。但是，我们一般在假设解决问题的状况时，多半没有明确设定讯息传达的对象。也就是说，我们多半是一个人进行分析。

在这个过程中，为了能够正确地解决问题，必须逐一检视自己的逻辑。即使没有设定讯息传达的对象，还是可以进行假设性的检视。具体地说，当我们要解释某项事实时，要扪心自问：“为什么从这项事实可以导出这个结论呢？前提又是什么？”

在心理学的领域中，这种从高处往下俯视自己思考的方式，被称为“后设认知”（metacognitiVe），换句话说，就是思考自己正在思考什么。

2. 锲而不舍地自问“为什么这么认为?”

N学习到与对方拥有共同默契的重要性之后，立刻着手撰写给上司K的建议报告：“本公司应该采用租赁的方式来促销工具机。理由是，租赁方式的获利将比目前的卖断销售方式还要高。因为，租赁可以让企业客户享受到诸多好处。例如，不需要准备高额的购买资金。此外，不必将工具机纳入资产，因此不必列入资产负债表。而且，还可以将租赁费用全额列入经费支出。”

N确信这次绝对没有问题。幸好，他并未忘记要用后设认知的观念再检视一次：“可是，光是这些利多，真的可以让公司的获利增加吗？”“反过来想，最好先确认公司是否因为欠缺租赁方式的利多，导致目前销售状况不佳。”“的确，银行贷款收紧，使得企业的资金调度变得困难，但如果投资设备的必要性不高，那么即使租赁的方式能让他们的资金周转变得轻松，也不一定能使我们的获利提高。这一点必须先确认。”

在这种确保逻辑性的作业中，锲而不舍非常重要，需要具备极大的耐心和毅力，耐着性子自问：“为什么？”“这样真的可以吗？”敦促自己不断思考。

3. 逻辑思考三要点，逻辑过程无止境

K看完N的建议报告之后，响应：“原来如此，用租赁的方式确实可以期待公司业绩提升。好，你这次的逻辑完整，这份报告不错，高层点头的几率应该很

图表11－3　逻辑性的三要素

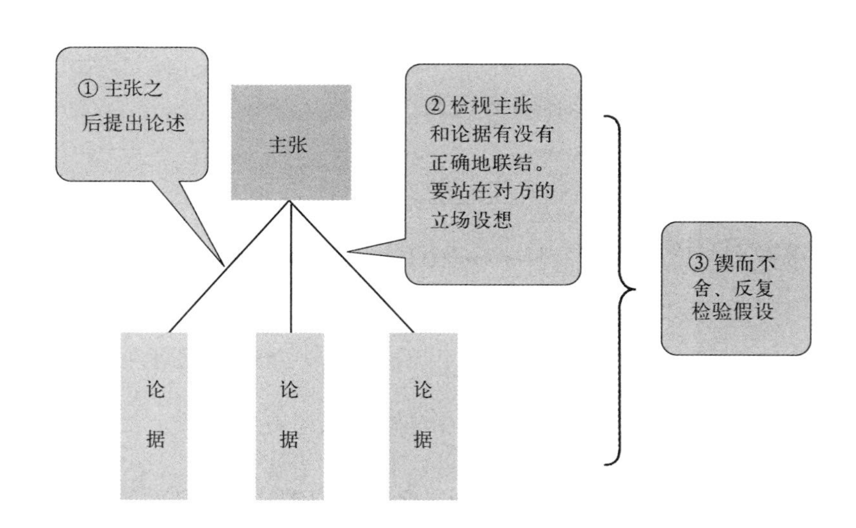

高。N，你还要去调查其他公司的状况。

“由于我们公司还没有租赁营利的经验，因此请回去想想采用租赁方式之后，该以什么样的销售体制去推动。最后，可能需要和大型租赁公司合作，最好先列出所有可能合作的厂商。你立刻去进行。”

接受N的建议之后，K也开始动起来了。N的热情和逻辑奏效，K不仅指示N进行后续的调查，还提供宝贵的意见。

追求逻辑性可说是永无止境的作业，一位好的问题解决者必须在有限的时间内找出最佳方案，并且精益求精，永无止境。

在所有与分析或解决问题有关的脑力作业中，“主张之后提出论述”“检视主张和论述有没有正确地联结”“锲而不舍、反复检验假设”这三个要素，是必备的共通能力。

第12章 “分析”的本质

- 以MECE的概念分析
- 活用现成的架构，进行分析

以MECE的概念分析

Mckinsey, Problem Analysis and Solving Skill

1. 分析即拆解，本质为MECE发想

分析的基本概念是：将事物拆解，思考各个组成成分之间的相互关系。**最能明显表现分析本质的思考方法是MECL，而所谓MECL，是“Mutually Exclusive，Collectively Exhaustive”的缩写，意指兼具相互排他性（Mutually Exclusive）与集合网罗性（Collectively Exhaustive），也就是拆解后的各个组成成分“不重复、不遗漏”的状态。**

“将事物进行分解，从结构去理解全体”这种思考方式的精髓，就呈现在MECE之中。事实上，MECE分析事物的方法与日本文化，可说是相对的两个极端。日本文化受到佛教的影响，习惯以直观来掌握事物的全貌。就如同俳句[1]的世界观，作者（观察者）融入情景，形成主客不分的世界。

回到正题，MECE掌握事物的方法是，除了要划分清楚分析者与分析的对象之外，还要将所有的要素完整还原，这是一项理性思考的活动。直观的灵光乍现以及还原要素并进行分析，这两者是互补的，建议你同时培养这两项技术。

① 编梅：日本的一种短诗，以十七个音为一首。

2. 拆解分类必须不重复、不遗漏

举例来说，人可以分为男性和女性，这是符合MECE的分类方法。另外，如果将人区分为“成年人”和“未成年人”，也是符合MECE原则的。

但是，如果将人分成“成年人”和“男性”，就不符合MECE了。其原因在于，在成年人的范畴中，包含了男性，于是出现了重复的情形，并不符合“相互排他性”，同时还遗漏了未成年的女性，也就是没有达到“集合网罗性”。

假设某家企业依据顾客的收入和资产，将顾客区分富裕阶层、小康阶层、一般阶层，以及低收入阶层。如果他们把收入较低、但仍拥有资产的低所得者分入富裕阶层中，这样的分类还算是符合MECE原则。但是，如果把一般阶层换成上班族，就并未达到相互排他性的要求，因为上班族当中有富裕阶层也有低收入者。

3. 在生活中养成MECE思考的习惯

想要培养分析力，必须在日常生活中养成MECE思考的习惯。举例来说，丢家里的垃圾时，如果把垃圾分成“可燃垃圾”和“厨房垃圾”如何？有人应该会觉得：“这样分类重复性很高，这两种都是可燃的，不是吗？”“而且铁铝罐、塑料瓶又该分在哪一类？这样就遗漏了。”

此外，我们还可以思考：“现在、过去、未来这种时间概念的分类，符合MECE原则吗？

图表12－1 MECE的思考法

①无遗漏、无重复

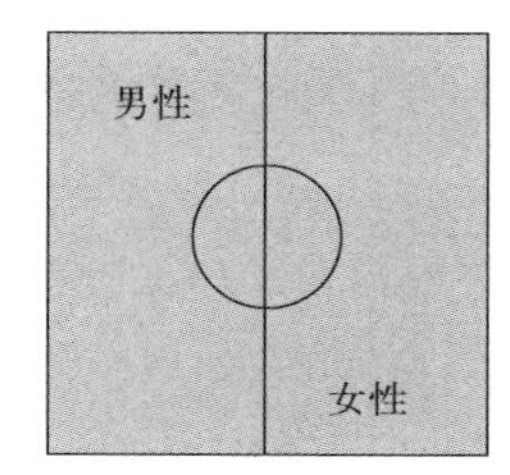

男性和女性

②有遗漏、无重复

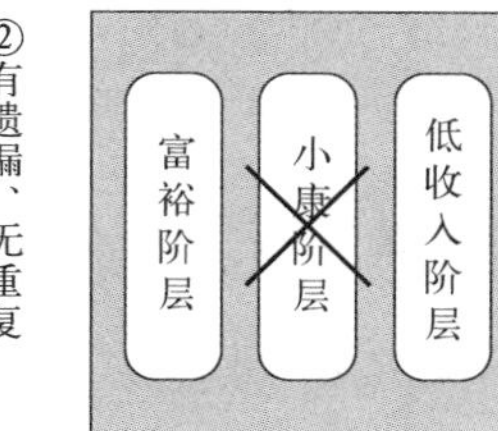

富裕阶层、小康阶层、低收入阶层

③无遗漏、有重复

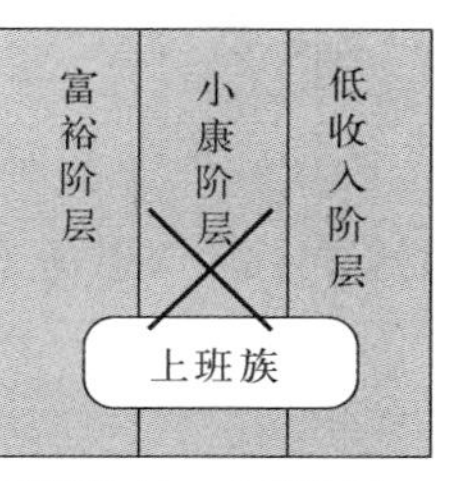

富裕阶层、小康阶层、低收入阶层、上班族

④有遗漏、有重复

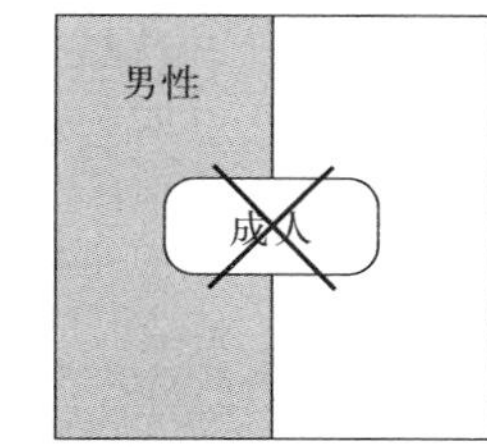

成年人和男性

Mutually Exclusive

Collectively Exhaustive

相互排他性，集合逻辑性。不遗漏、不重复。

“东南西北、春夏秋冬等方位和季节的分类，符合MECE原则吗？”

“A说经营公司重要的是人、物、钱。这种经营资源的分类符合MECE原则吗？难道信息不是重要的经营资源之一？但是，如果将信息归类在‘人’的范畴里，或许便符合MECE的分类。”

“喜怒哀乐，网罗了所有的感情吗？”

“喝咖啡要不要加奶精？这个做决定的过程符合MECE的概念。而要不要放砂糖？这也符合MECE的概念。”

有一则与咖啡相关的知名故事。在杰克·韦尔奇（Jack Welch）带领的美国通用电气公司（General Electric）里，许多员工都曾经任职麦肯锡顾问公司，这是公开的秘密。通用电气公司的秘书替访客准备咖啡之前，都会填一份矩阵表格，纵轴写着“要不要放奶精”，横轴写着“要不要放砂糖”。不管这件趣闻的真实性如何，它展现的意义是，MECE的分析和思考方式已经渗透到通用电气公司组织的各个角落。

M（29岁，男性）决定向女朋友求婚，并且有自信女朋友会答应。于是，他事先去珠宝店看结婚戒指。店员说明了M所中意的戒指：“这只戒指的钻石，价钱不贵、大颗、色泽佳，而且切工独特、透明度也很好。”M心想：“大小、色泽、切工、透明度。店员正在对钻石做符合MECE原则的评价吗？”

抓住利用MECE来思考、整理事物的诀窍之后，接下来就是反复练习。各位可以在平常生活中，训练自己用MECE来整理周遭的事物。

活用现成的架构，进行分析

Mckinsey, Problem Analysis and Solving Skill

1. MECE的架构有3种

好的架构都符合MECE原则，能够大幅提升我们的分析力。因此，最好多学几种备用。

符合MECE原则的架构，大致可分为3种。第一种是将分析对象区分成符合MECE的项目，有助于当事者理解分析对象的结构。第二种是用“流程”的概念掌握MECE的项目，有助于当事者理解分析的过程。第三种则是使用由纵轴和横轴所建构的“矩阵”，来整理事物。该矩阵是将MECE分类过的两个独立变量作为主轴，可帮助分析者达成结构性的理解。虽然矩阵可以扩充到三次元，但是三次元的矩阵过于复杂，因此我不建议使用。

接下来，我将介绍几种具有代表性的MECE架构（请参见第十三章至第十五章）。

- 有助于结构性理解的MECE架构
- 思考事业战略的“3C”
- 适用于业务分析的“五力”
- 思考组织策略的“7S”
- 拟定营销策略的“4P”

· 分析推广策略的“促销组合”（promotion mix）

· 分析流程的MECE性架构

· 显示企业机能流程的“商业系统”

· 归纳消费决策流程的“AIDMA”模型

· 保全品牌名声的“道歉启事”架构

· 以MECE独立变量为轴所组成的“矩阵”

· 思考事业组合的“PPM矩阵”

· 思考成长策略的“产品・市场矩阵”

· 检讨企业并购的“企业价值创造矩阵”

· 协助职业生涯规划的“职业生涯矩阵”

2. 分析架构是手段，不是目的

现在已有许多现成的分析架构，有助于运用MECE原则来分析状况和现象。学习这些工具时，请注意不要死背分析架构或是只填入表格而已，必须事先确认自己是基于何种目的，来使用这些工具。

时时将解决问题放在心上，就会发现使用分析架构的目的是属于恢复原状型、防范潜在型，或是追求理想型。在确定问题的类型之后，就能够活用架构，针对各种课题进行分析。

解决恢复原状型问题时，遭遇到的课题领域包括了掌握现状、分析原因、根本解决、防止复发，等等。对于这些课题领域，可以运用分析架构来制定解决方案。当然，分析架构也可以运用在紧急处理上。

解决防范潜在型问题时，必须意识到使用分析架构是为了解决哪些课题，例如确定不良状态、预防策略、发生时的应对策略，等等。而解决追求理想型问题时，则必须经常提醒自己，使用分析工具的目的是解决哪些课题，例如资产盘点、选定理想、达成理想的行动计划，等等。

即使为了增加分析力，多记住几种分析架构，也未必能够提升解决问题的能力。**原因在于，终究必须了解，在发现问题和设定课题的过程中，每一种架构的定位到底是什么。**

我协助过许多的日本代表性大企业开发员工能力，强烈感受到大多数的人认为“只要懂得分析架构就好”。当然，懂不懂很重要，但是光靠分析工具并没有办法解决问题。

第13章

如何分析策略、产业、组织、营销

- 思考事业战略的“3C”
- 适用于业务分析的“五力”
- 思考组织策略的“7S”
- 拟定营销策略的“4P”
- 将促销策略用MECE分解

思考事业战略的“3C”

首先，我要介绍的方法是可以帮助我们进行策略思考的3C，换句话说，就是用三个以C字母开头的主题进行策略分析的架构。**这三个主题分别是：自家公司分析（Company）、竞争对手分析（Competitor），以及顾客和市场分析（Customer）。**

此外，视情况可以加上第四个C“渠道”（Channel）。如果该业务容易受政府决策所影响，还可以加上另一个C“当局”（Controller）。

1. 分析初期着重搜集事实

在发现问题阶段的分析中，为了掌握状况，应该把重心放在搜集事实，例如自家公司与竞争对手的营业额和利润的演变、市场占有率的变化、成本结构、渠道状况、近期的策略或战术，等等，搜集这些信息是基本工夫。接着，思考这些事实的意义，同时理解自家公司与竞争对手的强项和弱点。

在思考自家公司的状况时，容易掉入自以为是的陷阱，稍不注意就会在分析中带入主观成见，却毫不自觉。因此，对于那些被视为理所当然的事物，也要根据事实逐一检证。

图表13-1　战略立案中的3C

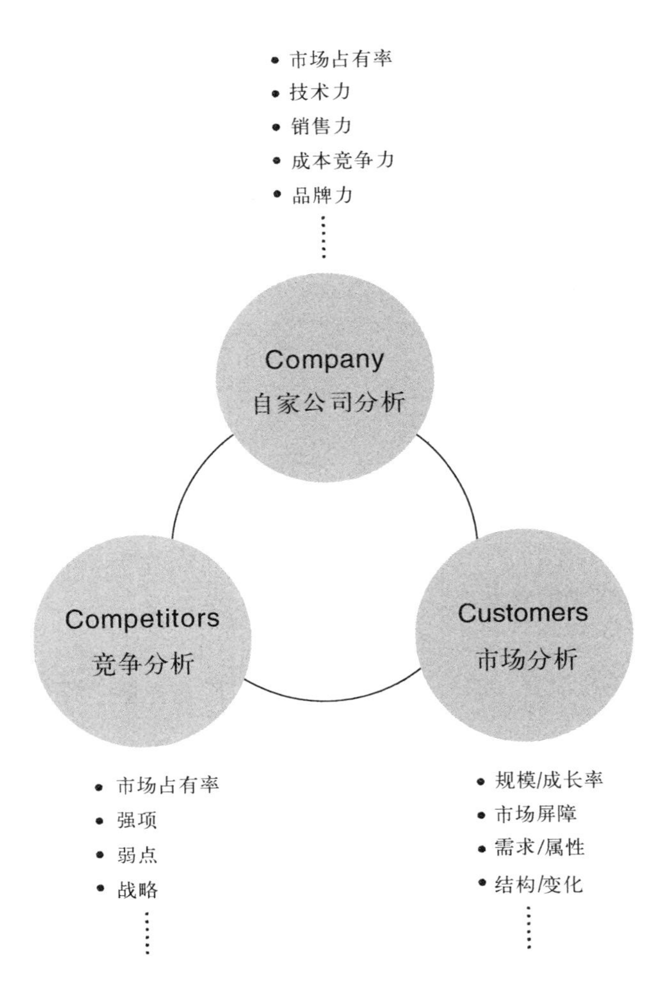

2. 宏观与微观的信息都搜集

在市场分析中，除了要宏观地观察市场整体规模和成长的演变之外，还要注意自家公司锁定哪个市场区块的顾客层，观察他们的规模、变化、喜好、需求的动向，以及对未来的展望。搜集这些重要的信息之后，将它们作为分析项目。

后面会提到，搜集、分析一些微观的信息，例如消费决策过程、消费决策者等信息，也是很重要的。

3. 在解决方案阶段，把3个C统合起来

在解决问题的初期阶段，应该先把3个C当作个别项目来进行分析，接着发现问题，同时处理重要的课题。到了解决问题的后半段，也就是制定策略的阶段时，必须设计出一个整合各个项目的解决方案。

举例来说，“活用本公司技术方面的强项，把焦点锁定在其他公司不太注重的顾客需求上，推出新产品”“对于本公司的忠实顾客，必须再提供其他公司既有的服务，重新出发”这两种解决方案，都注重各个项目之间的关联性。

适用于行业分析的“五力”

五力分析（Five Forces Analysis）是美国经济学家迈克尔·波特（Michael E.

Porter）所提出的架构，透过MECE的观点，将影响业务的力量区分为五种。借由解析这些力量，能够有效分析某个业务的特征、魅力、未来的展望，等等。“五力”包含：

①目前的产业竞争

②新加入者的威胁

③替代品的威胁

④供货商的议价能力

⑤购买者的议价能力

一般的产业分析容易偏向关注业务内的竞争，而“五力分析”不只注意业务内的竞争，还显示出其他力量也是决定业务获利的重要因素，可以说是进行业务分析的必备工具。

①目前的产业竞争

每个产业的竞争方式都不太相同。要知道某个业务是多数同规模企业互相竞争的分散型产业，还是由少数大企业所支配的寡头型产业？在产品和服务方面，有可能依据供给者的特色而出现差异，也可能是由谁提供都差不多、可满足消费者的日常用品。

另外，许多方面的复杂因素都左右着产业的竞争模式。例如，是因为法规或历史等因素，才使得各个业者各据山头？大多数的业者都提供同样的产品和服务？该业务的企业容易转行或撤退？自家公司在业务的定位是什么？

②新加入者的威胁

产业的魅力会受到新加入者的威胁。代表性的进入门槛，包括了高额的设备投资、既有品牌过于强大、阻碍进入的法规、技术的难度、有无规模经济，等等。进入的门槛越高，新加入者的威胁就越小。在这样的环境里，确保获利的几率越高，产业的魅力也越大。

一般来说，法规宽松有助于新业者加入，导致业务竞争。因此，当金融、保险、通讯、邮政、医疗等方面的法规放宽时，会对既有业者造成巨大的威胁，但是对消费者而言则通常是有利的。

③替代品的威胁

有没有其他替代品会威胁到自家产品和服务的需求？这也是产业分析的重要因素。例如，在音乐业务，当CD成为主流之后，唱片的需求便逐渐消失。硬盘播放器成为主流之后，CD也被被束之高阁。个人计算机进入市场之后，打字机就遭到淘汰了。移动电话普及之后，传呼机（B.B. Call）就消失了，固定式电话的需求也减少了。

再举一些例子，不需要底片的相机（数字相机）、不需要洗衣粉的洗衣机、不需要汽油的汽车等，在现今这个时代中，有可能替代品尚未出现、但需求已经被逐渐蚕食。所以，必须时时关注技术革新的发展。

图表13-2　业务分析的五力

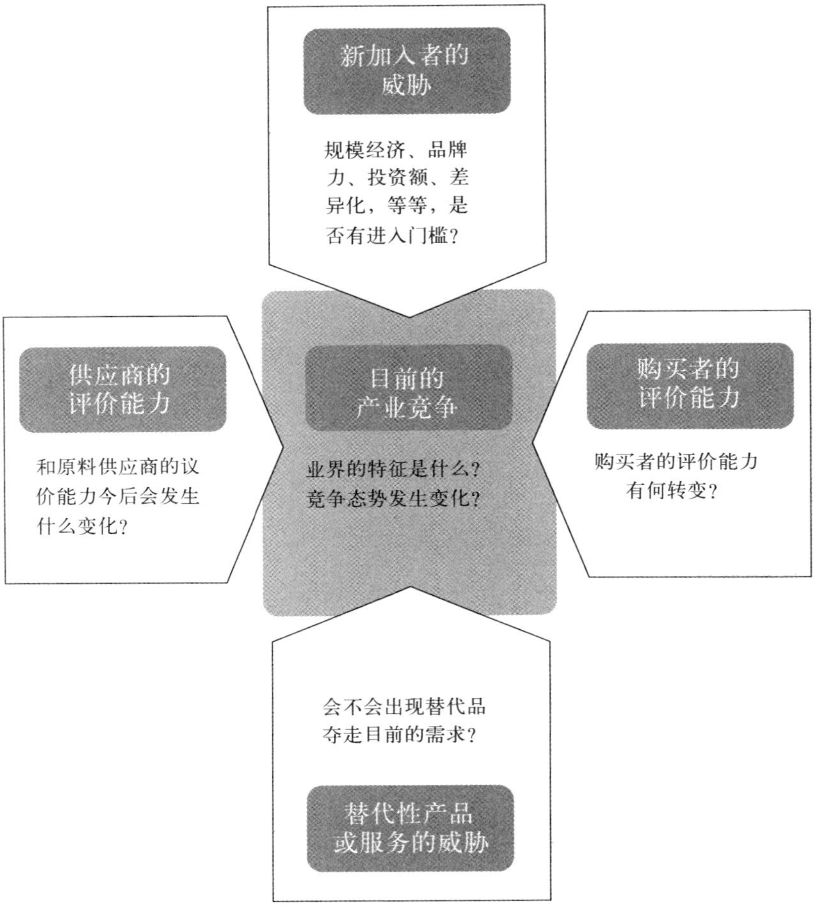

新加入者的威胁

规模经济、品牌力、投资额、差异化，等等，是否有进入门槛？

供应商的评价能力

和原料供应商的议价能力今后会发生什么变化？

目前的产业竞争

业界的特征是什么？竞争态势发生变化？

购买者的评价能力

购买者的评价能力有何转变？

会不会出现替代品夺走目前的需求？

替代性产品或服务的威胁

④供货商的议价能力

如果少数几个卖方控制了重要的零部件，那么买方的立场就变得比较弱势。相反地，假如有为数众多的卖家可以让买方买到必要的零部件，情况便会改善。举例来说，生产“计算机心脏”CPU而拥有极高市场占有率的英特尔（Intel）、以小型马达深获好评的万宝至（Mabuchi）；以脚踏车变速器的制造技术称霸一方的禧玛诺（Shimano）、以制造直流无刷马达而闻名的日本电产等企业，对于需要购买上述产品的买家而言，都有可能成为威胁。

⑤购买者的议价能力

“最近，网络的力量越来越强大了。”这是某家大型化妆品公司所做的评论。近年来，流通和零售业者的流通网络，例如松元清、永旺（AEON）、伊藤洋华堂等，对厂商的交涉能力越来越高。换句话说，对于业者而言，如果过于依赖特定的买方，该买方的威胁就越来越大，因为只要不合买方的意，就等于被宣判出局。

相反地，大型钢铁厂商或是汽车厂因为自身的销售能力提高，所以对综合商社的依存度便出现下降的趋势。

五力分析与其他的MECE分析工具一样，不只能在某个特定的时间点掌握业务的特征，还关注各个要素在力量上的变化，并且以此来预测“未来”可能产生的竞争状况。换句话说，五力分析的架构能够广泛应用在发现问题、设定课题、制定解决方案等方面。

思考组织策略的“7S”

o Mckinsey, Problem Analysis and Solving Ski

要解决组织上的问题，最有用的架构非麦肯锡所制定的“7S”分析莫属。这项工具将组织还原成7个以S开头的MECE要素（请参见第194至197页），其中①到③是比较容易通过文字、图表来表达的“硬件的S”，而④到⑦则是带有强烈“内隐知识”（tacit Knowledge）要素的“软件的S”。

①经营策略 (Strategy)

这是公司必定追求的一种策略。最理想的情况是，为了贯彻实行某项策略，去设计最适合的组织。但是，现实的状况多半是，迁就既有的组织，去制定合适的策略。

②组织结构 (Structure)

这是可用组织结构来表现的组织形态。**以人体作比喻，这就是骨架。**提到组织时，人们经常会联想到组织结构上的结构。当然，组织的结构非常重要，但是分析组织时只分析结构，并不符合MECE原则。

③营运系统 (System)

以人体作比喻，这就是神经，内容包括信息传达系统、评价系统、决策过程，等等。营运系统的任务是，支持经营策略和组织结构，并且进行组织管理。

④经营风格 (Style)

经营风格深植于企业文化当中，是由下而上或由上而下，经过历史熏陶而培育出来的。经营风格是尚未明文化、不言自明的行动准则，是拥有行动特性的集合体。这个要素非常难以改变。

⑤职员 (Staff)

指组织里成员个人的能力、技术、知识、资质等。如何在组织内部共享这些属于个人的技术和知识，是知识管理的核心课题。

⑥组织技能 (Skill)

指组织的知识、技能、技术。这是组织的核心竞争力，也就是超越个人技能的组织能力。

图表13-3　组织分析中的7S

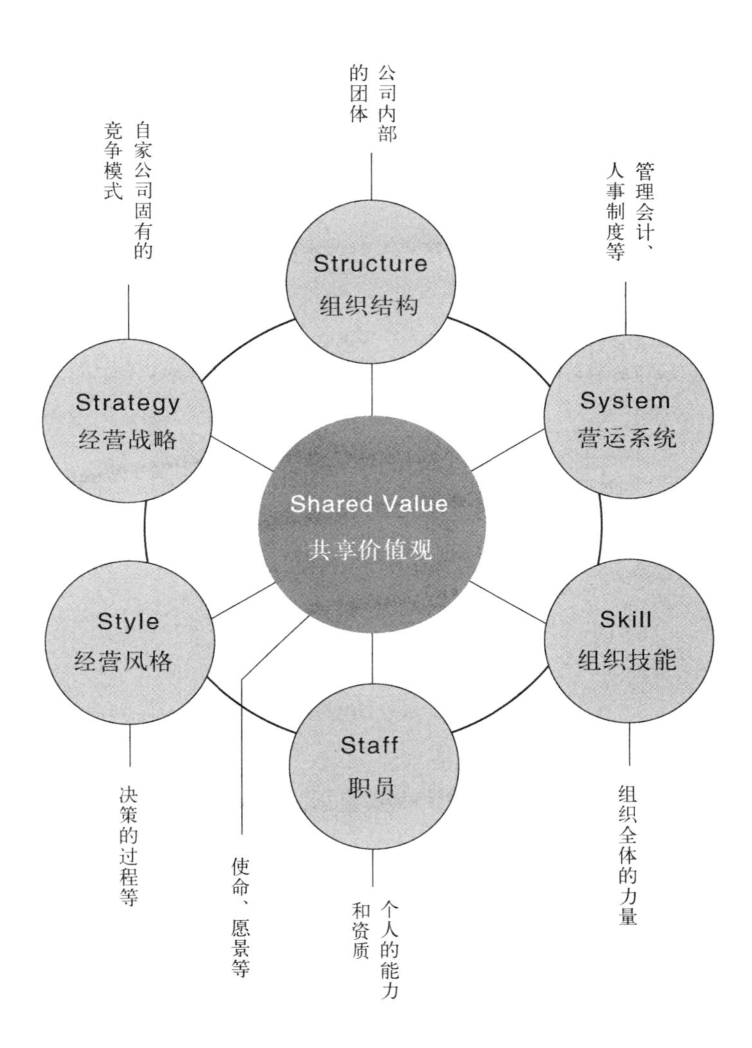

⑦共享价值观 (Shared Value)

指组织内部共享的价值观、使命感等，多半是尚未明文化的企业理念。在大多数的情况里，通常会借此来表达组织存在的理由，或者该提供顾客什么样的便利性等。

透过这些项目对组织进行剖析，可以有效率地筛选出组织里的问题。也可以用来分析其他公司组织，然后与自家公司作比较。换句话说，能够进行组织的标杆学习。

如果依据7个S来制定具体的行动计划，可以描绘出整体的组织策略，并当做解决方案。当然，这7个项目的行动计划必须保持一贯性和整合性，尤其要注意到第四项到第七项的“软件的S”。希望组织能够充满活力、日益强大，就要在软件的S上下足工夫。

Mckinsey, Problem Analysis and Solving Skill

拟定营销策略的“4P”

Mckinsey, Problem Analysis and Solving Skill

企业在解决问题时，经常提出关于营销方面的课题。而进行营销分析时，最重要的架构是“4P”。**4P将营销策略分为产品（Product）、价格（Price）、促销（Promotion）、渠道（Place），是代表性的MECE架构。**

按照这四个以P为开头的项目来拟定策略，就能在营销的课题上达到不遗漏、不重复的效果。如果将这四个要素组合运用，便能够创造出极佳的营销成果。另外，这些要素又称为“营销组合”（Marketing Mix）。

①产品策略

所谓产品策略，就是公司应该贩卖何种产品或服务给顾客，这是营销的原点。产品不可能满足所有人的需求，因此困难之处在于锁定商品。尤其是，公司制造的产品或服务提供了何种价值给顾客？

换句话说，从顾客价值（Customer Value）的观点来看自家的产品和服务，是至关重要的事。

②价格策略

价格策略的目的是设定符合产品价值的价格。设定价格与设定电费不同，不是将制造成本加上利润即可。

要设定出适当的价格，就必须与竞争的产品或服务取得平衡，并且知道行情。特定顾客的重要性也是影响定价的主要因素之一。设定价格必须从购买者的观点来思考，因为产品到底是贵还是便宜，最终是由消费者来决定。

③促销策略

即使产品或服务非常符合顾客需求，而且设定了一个符合价值的价格，但如果消费者不知道相关讯息，东西还是卖不出去。**将商品的价值顺利地传达给用户**

的策略，就称作“促销策略”。

让促销成功的关键是，如何在宣传、公关、人员销售、营业推广等方面，既保持一贯性又能相互融合。现在，透过网络博客的口碑传播，也变成重要的促销策略之一。总之，和顾客建立起交流管道非常重要。

④渠道策略

渠道策略意指包含店铺在内的物流战略。不管产品或是服务多么优异，能不能送达消费者手中，也是影响销售的关键要素。如果让消费者觉得“我很想要，但不知道要去哪里买”，那就伤脑筋了。便利性至为关键，必须让消费者可以轻

图表13-4　行销4P

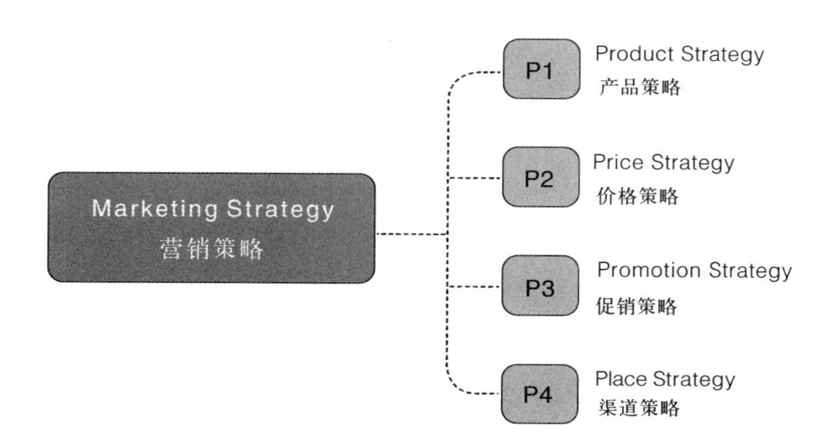

松购买到产品或服务。

不管是在发现问题和设定课题的阶段，或是制定最终解决方案的阶段，营销4P的架构基本上都可以依照各个项目来加以应用。

比方说，在初期掌握状况的阶段，4P可以和前文介绍的3C合并使用，来比较自家公司和竞争对手的4P，或是从顾客的角度来分析4P。最后的解决方案是一套前后一贯的营销策略，形式是“将A商品设定为X价格，以Y的推广组合来宣传，并在Z流通网络中销售”。

将促销策略用MECE分解

如果要使用MECE的分析工具，更深度地分析营销“4P”之一的促销策略，可以采用“促销组合”。促销组合是将宣传活动、公关活动、营业推广、人员销售这4种促销活动，加以组合运用，来提供消费者适切的产品信息，或是提出新的使用方式，以唤醒消费者的需求，促使他们购买。

1. 宣传广告

宣传广告属于促销活动之一，主要通过电视、收音机、报纸、杂志等大众媒体，促进消费者购买产品和服务。也就是说，广告主购买广告媒体，付费进行传递讯息的活动。很多消费者看到宣传广告，主动前来店里购买，这种促销策略称作“拉式策略”（pull strategy）。近年来，网络广告成为新兴的媒体宠儿。

2. 公关活动

不同于广告主付费传达信息，公关活动是利用新闻或报导，将特定的产品或服务讯息传达给消费者，俗称“做公关”。

有些公关活动会与企业可能接触的各种（公众）团体，形成良好的关系，并致力维持下去，例如公共关系（public relation）。但是，这项活动并非为了兜售特定的产品和服务。

图表13-5　促销组合

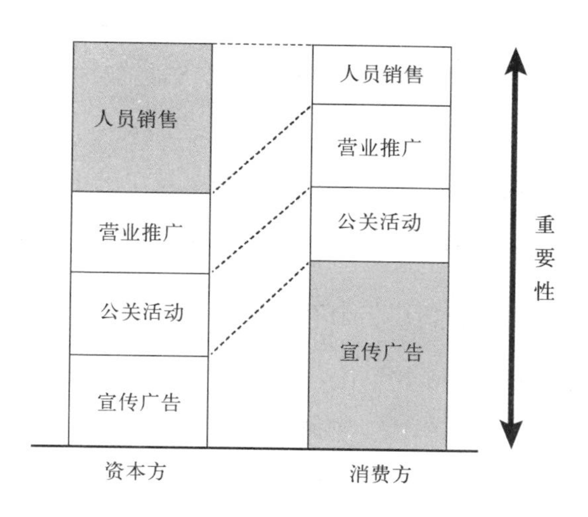

3. 营业推广

发送吸引消费者前来购物的优惠券、提供期间限定的折价以及奖品和赠品、赠送试用品、现场表演促销等，都是促使人们在短时间内消费的促销策略。

这个推广活动多半在弥补广告等非人员销售与人员销售的不足，一般被称为“促销”。但是，如果做得太过分，公平交易委员会有可能会介入调查，必须多加注意。

4. 人员销售

人员销售是指销售员与顾客面对面接触，透过说明等交流来销售商品。面对面交谈可以提供高质量的信息，而且销售人员是直接促进消费者购买产品，因此相对于宣传广告的“拉式策略”，人员销售被称为“推式策略”（push strategy）。

促销组合和营销4P一样，必须找出各个要素最正确的组合。借由传达前后一贯、统一的讯息，能形成理想的品牌形象。一般而言，资本方以人员销售的方式比较有效，而消费方则以宣传广告最有效果。

如果要在促销组合中追求MECE，“口碑”是最值得推荐的宣传活动。可是，“口碑”不但使广告商赚不到钱，又难以掌控，因此过去很少受到重视。但是，如同刚才说明的，网络博客所造成的口碑效应，已成为无法忽视的宣传活动之一。这个例子说明了，符合MECE的分析架构会随着时代不断演变下去。

第14章

如何分析价值链、消费行为、公关危机

- 显示获利模式的“商业系统”
- 分析消费决策流程的“AIDMA”模型
- 保全品牌名声的“道歉启事”架构

显示获利模式的“商业系统”

b Mckinsey, Problem Analysis and Solving Sk

在以MECE概念整理事物时，很重要的一点是，要以流程的形式来掌握分解后的项目。**最具代表性的流程分析架构，就是能显示出企业机能流程的“商业系统”，也称作价值链（Value Chain）。**

商业系统是最简单、最强而有力的分析工具。无论是哪一种的问题发现或是课题设定，都必须准确掌握对象的状况和现象。要准确掌握对象，典型的程序是：先将混乱的状况归类成具备MECE性质的集合，然后确定集合之间的流程关系。

1. 商业模式不同，价值链就不一样

商业系统是一种罗列出企业各项机能的架构，因此没有固定的项目。尽管如此，一般企业多半可以将上游至下游的机能区分成各种领域。以从事制造及销售的企业来说，流程可能是“研发→采购→制造→物流→营销→销售→服务”。如果是零售业，流程可能是“商品开发→采购→物流→宣传广告→促销规划（merchandising）→销售服务”。

当然，商业系统不只是列举项目而已，还能够借详细记录每个项目标能、特征、重点等，追求更深度的分析。

图表14-1　商业系统（价值链）

制造业者

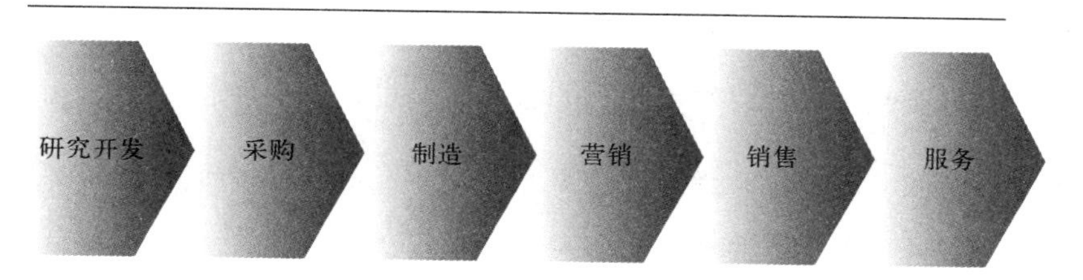

广告商

投资银行

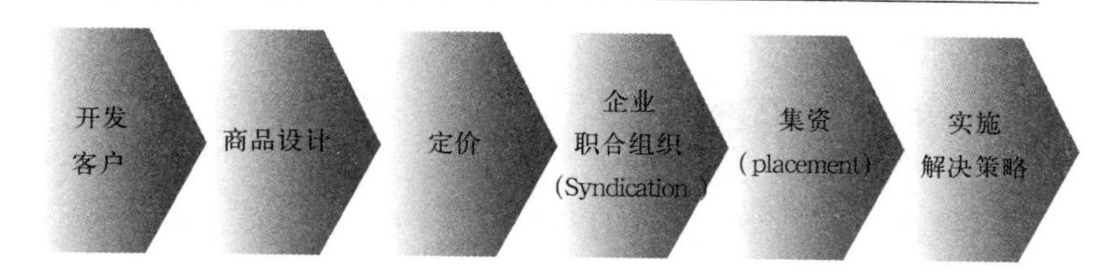

2. 商业系统：价值链分析应用广泛

商业系统的思考模式不只限于企业。其本质是以MECE的流程来整理事物，因此可以应用于各种主题或对象。它的思考模式是：

①假设不希望发生的不良状态

②确定引发不良状态的诱因

③拟定预防策略，排除可能的诱因

④预先拟妥发生不良状态时的应对策略

这四个步骤，正是前文提过解决防范潜在型问题的由上而下方法。这些步骤是一种以MECE流程的观点，整理问题内容的分析架构。因此，以MECE流程的观点来整理事物的手法，不限于商业系统，也可以活用在各种系统分析上。

3. 商业系统分析，用价值链知己知彼

假如要发现自家公司的问题，可以将竞争对手作为纵轴，将商业系统中每个项目作为横轴来做比较。也可以先描绘出理想的商业系统之后，再与自家公司的状况进行比较。或者，如果在横轴放上商业系统，在纵轴摆上日本、美国、欧洲等地区，就能够分析公司全球化的程度。

当思考外部资源时，商业系统可以当做如何选择的示意图，思考其中哪些机

能可以继续保留、哪些应该放弃。如果考虑与其他公司合并，商业系统也可以用来分析，应该与对方分享哪些机能，或是能产生什么样的相乘效果。

在制定解决方案时，商业系统的项目对于拟定改善策略有帮助。有时候，改变商业系统的项目本身就是一种改善策略。

商业系统和其他的分析工具一样，可以更有弹性地加以运用，成为解决问题时强而有力的帮手。

分析消费决策流程的“AIDMA”模型

Mckinsey Problem Analysis and Solving Skills

现在，向各位介绍一套工具“AIDMA”，如果将它与前面提过的“促销组合”一起应用，效果更佳。“AIDMA”这套工具，以MECE的架构，显示出顾客从知道产品的存在到进行消费的整个流程：注意（Attention）→兴趣、关心（Interest）→欲望（Desire）→记忆/动机（Memory/Motivate）→行动（Action）。AIDMA是这个流程的缩写，取自5个英文单词的前缀。

使用这套分析工具，可以从消费的流程中，具体检讨消费者所呈现的心理状态与消费行动之间的联系。

A：注意——吸引消费者注意，传递产品和服务的讯息。

I：兴趣、关心——在消费者知道讯息之后，进而让他们对产品和服务产生兴趣和关心。

D：欲望——让消费者燃起想使用产品和服务的欲望。

图表14-2　AIDMA法则

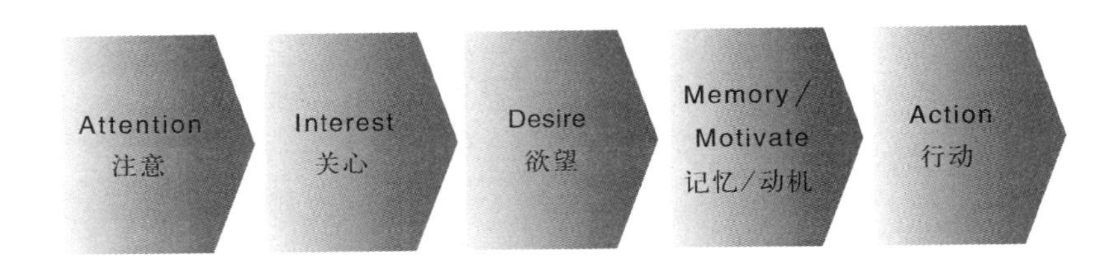

M：记忆 / 动机——让消费者记住产品和服务，进而想购买产品。

A：行动——实际行动，购买产品和服务。

“促销组合”与AIDMA有哪些关联？举例来说，在AIDMA初期需要吸引消费者注意力的阶段，运用宣传广告的效果非常好。或者，当消费者快要采取购买行动时，加入人员销售，可以增强效果。

事实上，“AIDMA”“营销4P”“促销组合”被誉为三种最具代表性的营销分析工具。

现在，出现一种新的网络版AIDMA，就是“AISAS模型”（Attention→Interest→Search→ Action→ Share）。其流程是：在吸引注意、引起兴趣之后，加上网络搜寻（Search），然后行动（Action）。之后，在博客等处分享（Share）信息。

还有一种以AISAS为原型，将过程分得更细致的AISCEAS。它在AIS之后，加上比较（Comparison）、检讨（Examination），最后再以AS作结。这两种网络版本，都是设想在网络中进行AIDMA中的“行动”部分。

图表14-3　促销组合与AIDMA

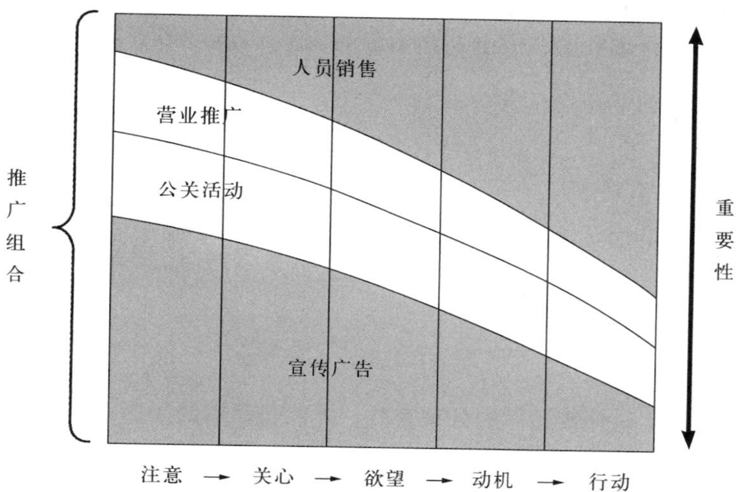

资料：改编自科特勒（Philip Kotler）所著《营销管理》（*Marketing Management*）

保全品牌名声的“道歉启事”架构

b Mckinsey Problem Analysis and Solving Sk

对企业而言，品牌是非常珍贵的资产。现今，产品和服务立刻会被模仿，而品牌是唯一可以持续保持差异化的要素。品牌的培养需要经年累月，却有可能瞬间失去。在前文提到管理危机的内容中，可以看到近几年企业频频发生弊端、违法、事故，对品牌造成极大的冲击。

如果真的碰到了伤害品牌形象的事故时，该怎么办？**除了应对问题之外，最重要的是，要确实对外传递你的处理方式，才能将品牌的受损程度降到最低。**接下来，我会透过每个步骤的流程，呈现MECE的项目，来介绍“道歉启事”的架构。

这项架构是由博雅公关（Burdon-Marsteller）制定，该公司是信息顾问业务中的龙头，在危机管理的公关活动领域中备受推崇。各位可以将下列项目，当作写公开道歉信时每个段落的主题。

1. 道歉

“道歉启事”的主旨就是在道歉。为了确实传达这个主旨，最好在第一时间内道歉。然而，如果表达得太过笼统，会让人觉得不知道为何道歉，所以在这个阶段一定要概略提及发生了什么事。但是，别忘记这个项目的主旨是道歉。

图表14－4　道歉启事

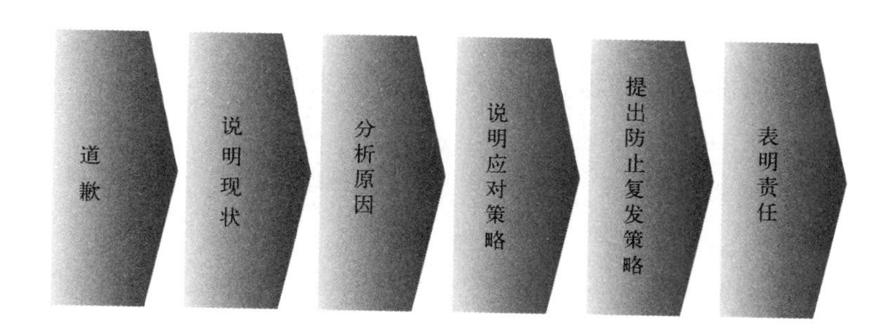

2. 说明现状

接着，详细说明弊端、事件、事故等发生的内容。道歉启事的目的是寻求原谅。一般而言，要获得原谅，很重要的是，要表明知道自己犯下的“罪行”有多么严重。说明现状其实就相当于“忏悔”。

3. 分析原因

接受讯息的对象理所当然会想知道，事情为何会发展到这个地步，因此必须在这个阶段说明具体的原因。

在这个阶段，具体呈现非常重要。当然，在其他阶段也是一样，如果叙述得过于笼统，会给人隐匿内情的负面印象。

4. 说明应对策略

接着，说明如何应对问题。这里的说明多半是短期的应急对策。过程中，如果需要道歉对象的协助，要在说明完应对方法之后再提出。

5. 提出防止复发策略

对方即使接受了应对对策的说明，心中仍有不安：“以后还会不会发生同样的事。”因此，提出避免再度发生的根治对策至为关键。这时候，前面的“分析原因”的步骤就显得很重要。关于这个部分，请参考第二章中“解决恢复原状型问题”的说明。

6. 表明责任

表明自己充分认知到罪行的严重性之后再道歉，是寻求原谅的必要条件，但不是充分条件。为了获得原谅，必须根据罪行的严重性，接受相同程度的“处罚”，像是引咎辞职、解雇负责人、发送礼券、停止营业，等等。最好让对方感受到“居然做到这个地步”，效果最佳。

这个“道歉启事”的架构，可用于人生罕见、晴天霹雳的重大事件，也可用于日常生活的不良状态，是应用范围相当广泛的工具。

当然，最好是不必用到这个架构。平常就要尽量防范弊端、事件、事故的发生。希望大家不至于“赶紧用这套准则来写悔过书”。

第15章
矩阵分析：从个人职业发展到公司成长

- 分析事业组合的“PPM矩阵”
- 用“产品·市场矩阵”思考成长策略
- 检讨企业并购的“企业价值创造矩阵”
- 协助职业生涯规划的“职业生涯矩阵”

分析事业组合的“PPM矩阵”

产品组织者（PPM，product portfolio management）是企业用来检讨是否培育、维持、验收某项事业，以及是否从某项事业撤退的分析工具。换句话说，是用于找出最佳事业组合（portfolio）的架构。

众所周知的PPM矩阵版本，是由波士顿顾问集团（BCG，Boston Consulting Group）开发出来的。首先，在横轴摆上自家公司的相对市场占有率（相较于最大竞争对手，自家公司在市场占有率上所占的比例）[①]，在纵轴放上市场成长率（中长期的预测值）。接着，分别在两轴画上区分高低的垂直线，将全体区分成四个象限，成为一张矩阵图。最后，将事业放在四个象限中进行以下的评价。

①问题儿童（Problem Child或是Question Mark）：相对市场占有率低，但市场成长率高的事业。换句话说，虽然目前是赤字，但将来很有希望。

②明日之星（Star）：相对市场占有率高，而且市场成长率也高的事业。虽然获利高，但必须注入大量投资。

③摇钱树（Cash Cow）：相对市场占有率高，但市场成长率低的事业。不

① 编按：“相对市场占有率”是指以公司的市场占有率除以同业最高的市场占有率所获得的数字。

图表15-1　PPM矩阵

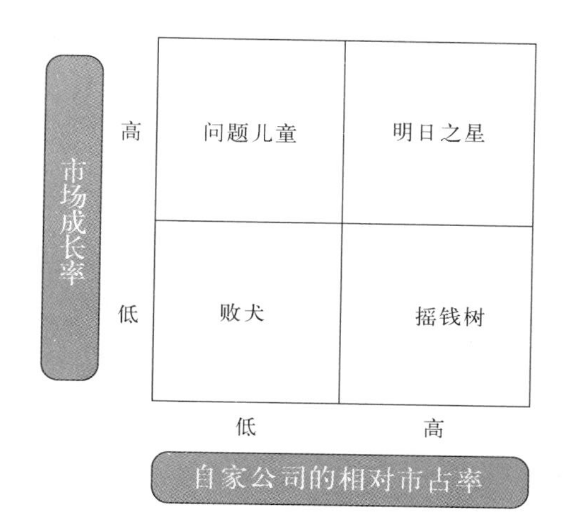

必追加大量投资，就能获利的摇钱树。

④败犬（Dog）：相对市场占有率和市场成长率都低的事业，没有什么未来性。

按照以上的评价，所采取的基本策略应该是先从摇钱树攒出现金流量，因为这一类的事业不太需要追加投资。接着，将现金分配给明日之星和问题儿童，培育这两者成为摇钱树，同时把败犬结束掉。

另外，还有一个知名的PPM矩阵版本，则是由麦肯锡顾问公司和通用电气公司共同开发的。BCG的版本是在横轴放上相对市场占有率，在纵轴放上用数值表示的市场成长性，构成四个象限的矩阵。而麦肯锡／通用电气的版本则是在横轴放上自家公司的竞争强项，在纵轴放上市场魅力度的评价，构成九个象限的矩阵。

这两种依据MECE原则进行分类的矩阵，都是将两种互不影响的独立变量作为主轴，思考如何同时处理多种事业。在矩阵上绘制出各个事业之后，就能根据每个象限来确认策略的方向。在一张矩阵图中，就能同时确认各个事业分别处于哪个阶段，非常方便。

用“产品·市场矩阵”思考成长策略

企业思考成长策略时，可以运用“产品·市场矩阵”（Product–Market Matrix）这个简单易懂的分析工具。这个工具又称作“成长矩阵”（Growth Matrix），无论是用来找出策略的问题点或是制定解决策略，都非常好用。

矩阵的纵轴为市场、横轴为产品，都是互相独立的变量。接着，将两轴区分成既有与新的。这些分类法都符合MECE。借由简单的四个象限，就可以明确显示出成长策略的轮廓。

①**市场渗透策略：**以既有产品进攻旧市场

②**市场开发策略：**以既有产品进攻新市场

③**产品开发策略：**对于目前的市场投入新产品

④**多角化战略：**对于新市场投入新产品

1. 先追求市场渗透策略

以既有产品深耕既有市场的“市场渗透策略”，是成长策略的根本。即使赚了一些钱，切记不要草率进行多元化经营。第一步应该先渗透市场，然而渗透的过程中，不可避免地会出现效用递减法则。也就是说，花费同样的努力，但所得到的回报却会越来越少。

2. 寻求市场开发与产品开发策略

下一步要思考的是，以既有产品开拓新市场的“市场开发策略”。代表性的做法是扩大销售的地域，例如原来只集中在大都会地区贩卖的产品，开始扩张到全国各地。**在思考这个策略的同时，还可以考虑将新产品投入既有市场，也就是“产品开发策略”**。

对于既有的销售渠道或顾客而言，这项成长策略使得可选择的产品种类增加

图表15－2　产品 · 市场矩阵

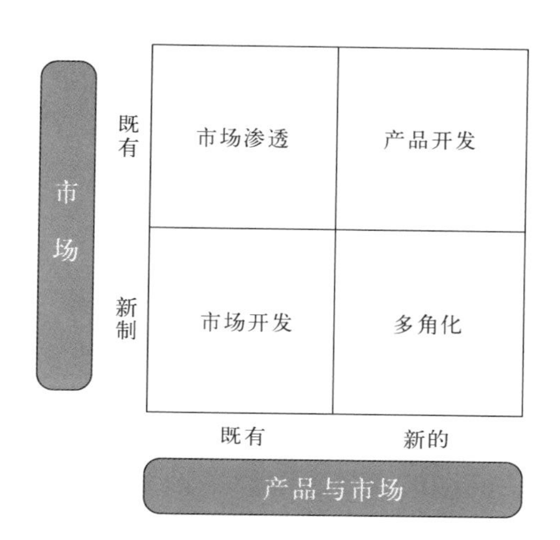

了。举例来说，乐清（Duskin）出租及贩卖空气清新机和净水器；便利商店代收干洗业务；网络书店亚马逊不只卖书，还贩卖CD、DVD及电器产品。

3. 多元化经营要注意和既存事业的关联性

最后一步，是将新产品投入新市场的多元化成长策略。对于企业而言，这是未知的领域，因此风险也会增加。

在现实生活中，多角化经营失败的例子不胜枚举。举例来说，钢铁公司涉足科技产业或经营主题乐园、佳丽宝开始销售“民生用品”，以及ASCII的并购案等。当然，也有像通用电器公司一样，经营与本业毫无关联的多元化事业，却大获成功的案例。

Mckinsey, Problem Analysis and Solving Sk

检讨企业并购的“企业价值创造矩阵”

h Mckinsey Problem Analysis and Solving Sk

对于企业而言，企业的并购（包括敌对性的买收）是一种很重要的经营策略。接下来，我将介绍麦肯锡顾问公司拟定的“企业价值创造矩阵”（natural ownership matrix，请参见图表15-3），这个工具可以帮助各位在并购企业时做出最佳决定。

这个矩阵的纵轴是“创造价值的可能性”，横轴是“提供价值的可能性”。纵轴的创造价值的可能性，将并购方从被并购的标的企业中所创造出的可能价值，分为高、中、低三个阶段。因此，必须先判断业务的魅力、标的在业务的地位、

图表15-3 企业价值创造矩阵

价值创造的可能性

- 业界的魅力度
- 业界内的地位
- 合理化/重新建构的可能性

高

中

低

攒出
现金流的对象

价值
最值得期待

可望
提升技术

检讨
策略性撤退

撤退或是建构
更上一层楼
的技术

提供价值的可能性

- 事业之间的关联性
- 能共享自家公司的技术
- 有其他结构上的优越性（税制等）

标的独自存在的合理性，以及重新建构的可能性，也就是评价标的企业单独存在的价值。

横轴的提供价值的可能性，用于并购方在将标的企业纳入时，由左到右，以低、中、高，来评价标的企业能提供多少附加价值给并购方。例如，并购方与标的企业之间事业的关联性、能否共享技术、税制上的优惠，等等，可以借此思考并购之后的相乘效果。

矩阵右上方是最值得被并购的企业，它既有单独存在的魅力，而且与并购方的兼容性又高。但是，并购方要付出的代价通常也最高。最不值得被收购的企业在左下方，它既没有单独存在的魅力，而且与买方的兼容性又差。另外，**并购方如果有足够的自信，就可以用便宜的价格来并购右下方的企业，然后努力让它成为右上方的企业。这种救济型的并购被称为“重整改造”（tum-around）**。

这个矩阵不仅能用来评价并购的案件，也能用来评价既存事业、子公司、关联公司。这时候，左下方的事业成为撤退的后补选项，而右上方的事业则最能产生价值。请注意，矩阵上的评价都是针对既存的事业。

协助职业生涯规划的“职业生涯矩阵”

对商务人士而言，职业生涯规划是非常重要的课题。“职涯矩阵”能协助各位进行职业生涯规划，是由GLOBIS商学院创办人堀义人，在《迈向成功的职业生涯规划》一书中所提出。该商学院专门提供在职进修的课程。“职业生涯矩阵”的纵轴为业种，横轴为机能，两轴的度量都是同一与相异（请参见下页图表15-4）。

图表15－4　职业生涯矩阵

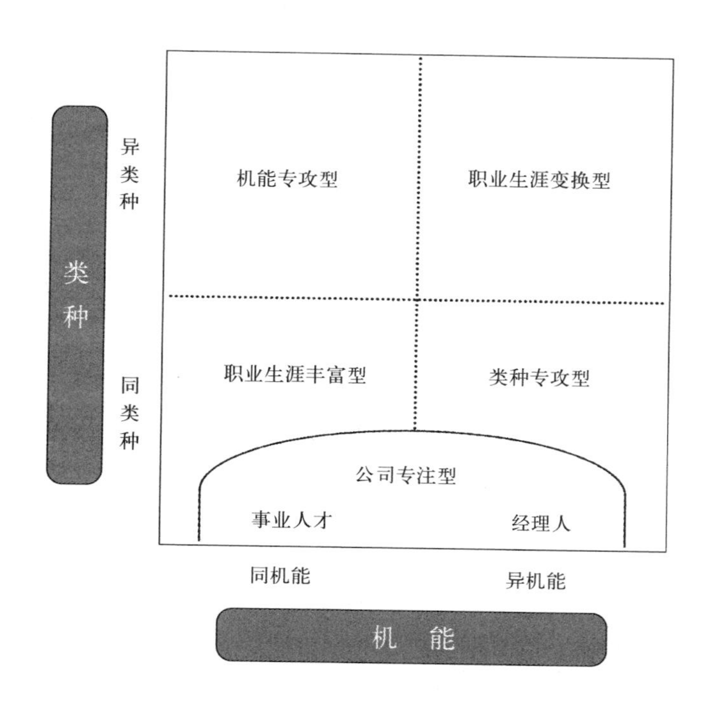

资料：堀义人《迈向成功的职业生涯设计》（日本经济新闻社出版）

左下方的同业种同机能型，因为是透过跳槽来丰富自己的职业生涯，所以又称作“职业生涯丰富型”。如果不想换工作，则是“公司专注型”，该类型的职业生涯规划着重成为公司内部的专业人员。

假如职涯规划是左上方的异业种同机能型，则是“机能专攻型”，这个类型的规划是借由跳槽到异业种的公司来提升经历。举例来说，如果想在财务领域上更为专业，那么在职业生涯规划中，最好逐步积累在物流业、制造业、服务业的经验，成为跨业务的专业人才。

右下方的同业种异机能型，属于“业种专攻型”，这种职业生涯规划是专注于某个业务，并在该业务中担任多种职务，可说是特定业种的专业人才。如果采取这条规划又只待在同一家公司，就可以朝公司专注型中的总经理型迈进。

最后是右上方的异业种和异机能型，也就是“职业生涯变换型”。其实，我个人的案例曾在堀义人的著作中登场。结果，我属于职业生涯变换型，也就是“不专注在任何特定的业务或机能，所积累的履历五花八门”。这种类型的风险很高，不建议大家采用。

但是，现今这个时代，不只讲求专业能力，更重视综合能力。假设目前需要的不是限定于某个专业领域，而是能够进行全面思考的人才，那么职业生涯变换型也是值得注目的升迁快捷方式。

第16章

解决问题的心理素质

- 3种想法，会害你无法“平常心”
- “死脑筋思考”的问题点
- 用“期望思考”找回正面心态

3种想法，会害你无法“平常心”

Mckinsey, Problem Analysis and Solving Ski

1. 问题发生时，人常犯3种错

虽然学会解决问题的技巧很重要，但更重要的是问题解决者的心态，面临的问题越大，就必须越冷静。问题解决者再怎么精通解决问题的手法，或是拥有相关领域的专业知识，如果承受不了心理上的压力，乱了方寸、惊慌失措，就无法正确地应对状况。

问题解决者必须具备优异的压力管理能力，即使被逼到进退维谷，依然能够保持冷静，发挥实力。

人在面临危机时，特别容易失去平常心。危机有许多种，以企业来说，例如工厂发生爆炸事故、食品混入有毒物质，等等。以个人来说，例如亲人发生重大交通意外、家里失火、公司倒闭、亲人违法犯罪，等等。

即使不是上述这些非常事态，人还是有可能陷入恐慌。对于上班族而言，很多问题都会造成心理上的重担，例如被公司要求达到非常高的业务目标、必须制定策略决定公司未来的方向，或是要谈一笔关系公司存亡的生意，等等。

压力管理能力考验着心理素质，也就是在面临重大问题状况时，如何保持平常心。**如果失去平常心，经常会犯下三种错误：否定状况、在错误的时机追究责任、对状况产生非现实性的评价。**因此，唯有保持冷静，才有可能发挥最大的能力，进而解决问题。接下来，让我们先认识这3种常犯的错误。

2. 掉入“否定状况”的陷阱

面临重大问题时，失去平常心就容易陷入“否定状况”的心态，例如绝对不可能发生这么严重的问题、不可能有这种事，不愿意接受发生的事实，以至于完全听不进任何意见。

曾经有一家大型食品公司，发生了将国外产的牛肉伪装成国产牛肉的事情。但是，该公司持续否定这个事实，甚至表示：“依据本公司的质量管理和库存管理系统来看，这是不可能发生的。”这就是“否定状况”的心理因素在作祟。

相反地，有些公司则是在问题发生后、但尚未确认事实之前，便草率地在第一时间认错。有个案例是，某家大型航空公司的客机发生事故，该公司以为责任在己，于是社长在第一时间就立即召开记者会道歉，但事后证明，责任在飞航管制员。

3. 否定状况，只会导致延误解决时机

然而，在第一时间认错的例子比较少，否认的例子比较多。否认发生问题，必然会拖延应对的时间。一旦延迟了应对的时间，只会增加伤害的程度。

另外，在尚未发生不良状态的防范潜在型问题中，也一样会发生这种问题。当事者认为：“不可能会发生这种事”，或是产生逃避的心态：“要是发生这种事，将成为无法承受的悲剧，因此我不愿去想。”但是，这些都是有可能会发生的不良状态。

解决防范潜在型问题的步骤①，是“假设不希望发生的不良状态”。如果疏忽步骤①，那么步骤②“确定引发不良状态的诱因”、步骤③“拟定预防策略，排除可能的诱因”、步骤④“预先拟妥发生不良状态时的应对策略”，就更不用谈了。换句话说，只要否定可能发生的不良状态，就不可能解决防范潜在型问题。

4. 在错误的时机追究责任

在特别严重的恢复原状型问题中，当事者在认知状况之后，容易产生追究责任的心态，焦急地问：“这是谁的错？”虽然当事者晓得不良状态已经发生，而且状况严重，但是却急着要追究责任。当然，从“防止复发”的观点来看，既然发生重大过失，追究责任并要求付出符合过失的代价确实非常重要，因为追究责任也是一个重要的课题。

但是，问题刚刚发生，就只顾着大发脾气、责难、攻击别人：“到底是谁犯下这么严重的错误”“都是那家伙的错”“都是公司的错”，根本无法解决问题。同样地，假设自己也需要为事情负责时，很可能会陷入强烈的罪恶感，灰心丧气自责：“为什么我那么差劲。”但是，这同样会延误应对的时机，甚至干脆放弃去解决问题。

责任追究是很重要的课题，但是在问题刚发生时，像无头苍蝇般追究责任，只会成为解决问题的巨大障碍。在急需止损的状况下，忙于追究责任和互相指责，只会让事态更加恶化。不考虑状况而只顾着究责，将会拖延拟定应对策略的时间。之所以会像这样陷入否定状况的陷阱，追根究底，还是因为欠缺平常心的结果。

5. 做非现实的评价

面对状况发生时，还有一种心理很常见："我不能接受这种状况""世界末日了""这是最惨的悲剧"，也就是对状况产生非现实的评价。既然平常认为它最不可能发生，然而一旦发生了，很容易将事态视为"最难以承受的悲剧"，这种反应非常符合逻辑。

将事态解释为"难以承受的悲剧"，确实很有可能会脱离平常心，并且会因为恐惧而想逃离状况或是变得消极，认为"一切都完了"，甚至提不起劲来改善状况。无论是哪一种情况，如果将问题搁置不管，伤害一定会扩大。问题发生后伴随而来的心理重荷，容易让我们失去平常心，并成为解决问题过程中的巨大阻碍。

Mckinsey, Problem Analysis and Solving Skil

"死脑筋思考"的问题点

Mckinsey, Problem Analysis and Solving Skil

1. 惊慌失措是"死脑筋思考"所造成

为什么人面临重大问题时，常会失去平常心，陷入恐慌?

首先，最根本的理由是"死脑筋"，认为"这种问题绝不可能发生"。"死脑筋思考"正是打乱问题解决者心理状况的元凶。虽然当事者多半不会意识到这一

图表16-1　容易陷入的3种心理陷阱

1. 否定状况

2. 在错误的时机追究责任

3. 对状况产生非现实性的评价

点，但是我们失去平常心时，几乎都是"死脑筋思考"在作祟。它是解决问题过程中的巨大阻碍，同时也扭曲了思考。

在固执的死脑筋思考下，如果不可能发生的问题成为现实，该怎么办？这时候，死脑筋思考将会形成无法转圜的巨大矛盾，进而引起心理的重压、极端的困惑及内心的纠葛。绝不可能发生的状况成为现实，会让人失去平常心，而且很多时候还会引起恐慌，造成思考停滞。

2. "死脑筋思考"是心理压力的根源

对于前述3种容易让人失去平常心的陷阱：否定状况、在错误的时机追究责任、对状况产生非现实性的评价，探究其原因可以发现，虽然大多数的时候本人并未意识到，但其实是"这个问题绝不会发生"这种不好的思考在作祟。

如果以车子来比喻，"绝不会发生的事发生了"就是同时踩油门和刹车，会造成很大的心理压力。这可以被视为“最严重的悲剧”，是最令人无法忍受的状况。而且，会产生另一种动机，那就是将“这个难以忍受的最严重悲剧”的责任归咎于某人。

因此，这个不可能发生的事态，会引起当事者巨大的愤怒、沮丧、罪恶感等负面情绪。这些负面情绪会让人产生攻击性、自我封闭、自我否定等行为，使得事态更加恶化。总而言之，每一种状况都是解决问题的巨大障碍。

3. “死脑筋思考”是一种偏执

乍看之下，死脑筋思考以绝不退让的态度来要求自己和别人，是一种坚强意志的展现。但是，这种绝不退让的心态隐含着严重的逻辑跳跃。每个人都希望没有问题，可以找出很多正面迹象，显示问题不会发生。但相对地，其实也可以找很多负面迹象，显示问题会发生。

不管显示问题不会发生的正面迹象，或是问题可能发生的负面迹象有多少，大家最希望的还是问题不要发生。

即使正面迹象与负面迹象都不断累积，也只会让不希望问题发生的心情越来越急切。因此，“问题不会发生”的想法，在逻辑上会产生很大的跳跃。换句话说，“问题不会发生”的心态只不过是没有任何论据的偏执。

其实，无论再怎么坚持“问题不会发生”，在现实上，问题还是可能会发生。因此，就经验来看，没有任何理由能保证问题不会发生。即使强烈不希望问题发生的理由有成千上万，但都不构成绝不会发生的理由。

我的意思并非“问题发生也无妨”，没有人喜欢发生问题，我只是指出坚持“问题绝不会发生”的想法是不合理的。

4. “管它的”，看太开也不好

为了逃避死脑筋思考所产生的重大压力，轻率地想：“解决问题不过是单纯的游戏，随便做做就好了，结果还不是得靠运气。”这样真的可以吗？

很遗憾，这种思考缺乏远见。这是相对于死脑筋思考的另一个极端。虽说失去平常心是因为看不开，但是“管它的”这种心态，也就是看得太开的想法，同样是缺乏说服力、不讲理的想法。

而且，如果认为这个问题无所谓，自然不会认真去处理。问题解决者不应该抱持这种态度，对于解决问题所做的努力和准备一旦松懈下来，即使心理上的压力可以立刻获得解放，但最后一定是徒劳无功的。

用“期望思考”找回正面心态

b McKinsey, Problem Analysis and Solving Sk

1. 摒弃死脑筋，心里有“期望”

那么，该怎么做才能在发生问题时保持平常心呢？从结论来讲，努力用“期望思考”取代“死脑筋思考”和“管它的思考”，效果会很好。具体地说，如果是恢复原状型问题，便在心里想：“我原本就不希望这种事情发生。”假设是防范潜在型问题，则心想：“我真不希望发生这种问题”，这两种都是期望性的思考。

前文提到，问题解决者如果坚决地抱着“这个问题绝不会发生”的态度，那么当问题发生时，会认为事态已发展到难以令人忍受的地步，并且被逼入强烈的绝望和不安当中。到了这个地步，就很难要求他可以冷静地解决问题。人在巨大的压力之下，很难把工作做好，即使再怎么努力，也会因为压力的关系，思考变得僵硬，情绪变得不稳定，行动也容易急躁，于是解决问题的效率必然会降低。这就是为什么要摒弃死脑筋思考，把精神放在“期望思考”的理由。

2. “期望思考”提高解决问题的效率

如果在面临重大的恢复原状型问题时，心想“我原本就不希望这种事情发生”，那么即使不希望发生的问题化成事实，也不会像认定“问题绝不可能发生”的心态，产生无法接受的矛盾，于是不会把眼前的状况当成“不可能发生的最严重悲剧”。

其原因在于，虽然状况不如预期，但之前已设想过它可能会发生，现在只不过是变成现实罢了。由于这样的想法不会引起认知上的混乱，因此可以冷静地处理重要课题，像是拟定紧急处理、根本解决、分析原因及防止复发策略，等等。

关于防范潜在型问题也是一样，如果抱着“我真不希望发生这种问题”的想法，就不会陷入“这是不可能发生的事”或是“发生这种事是最严重的悲剧，我不愿去想”的困境。

与面对恢复原状型问题时一样，问题解决者若是认知到不希望发生的事情有可能会发生，就能够提高冷静分析的几率。换句话说，他能够踏入防范潜在型问题的步骤①。接下来，步骤②“确定引发不良状态的诱因”、步骤③“拟定预防策略，排除可能的诱因”、步骤④“预先拟妥发生不良状态时的应对策略”，也能顺利进行下去。

3. 预先模拟“良好思考”

接下来，我以恢复原状型问题为蓝本，来介绍如何塑造“良好思考”的雏形。问题解决者如果平常能运用以下的思考方式来训练，就有可能做好压力管理。良好思考必须建构在几个层面上，例如肯定相对性愿望的价值、否定绝不退让的态度、承认愿望未达成、评价现实状况并行动，等等。

以下介绍一个运用良好思考来面对恢复原状型问题的例子。

各位可以在心里模拟：

“我原本就不希望这个问题发生，能不发生不知该有多好。我真的很不希望它发生（肯定相对性愿望的价值）。

“但是，我找不到任何理由保证这个问题不会发生。若有这种理由，就不会发生这样的问题。我只是很希望它不要发生而已（否定绝不退让的态度）。

“虽然很不愉快，但是再怎么强烈的希望也不一定能心想事成。令人遗憾的是，事实摆在眼前，问题已经发生了。虽然心里苦，但是难过的心情只限于事情发生为止（承认愿望未达成）。

“状况当然令人不满意，问题产生了极大的困扰。但是，状况并非是难以承受的悲剧，没必要绝望，只不过是带来很大的不便，并非世界末日。事情总会有办法解决，明天太阳依旧会升起。接下来就步步为营、脚踏实地解决问题吧（评价现实状况并行动）。”

接下来，让我们看看死脑筋思考如何增加压力。请各位千万不要练习这种思考模式：

图表16-2　良好思考的四要素

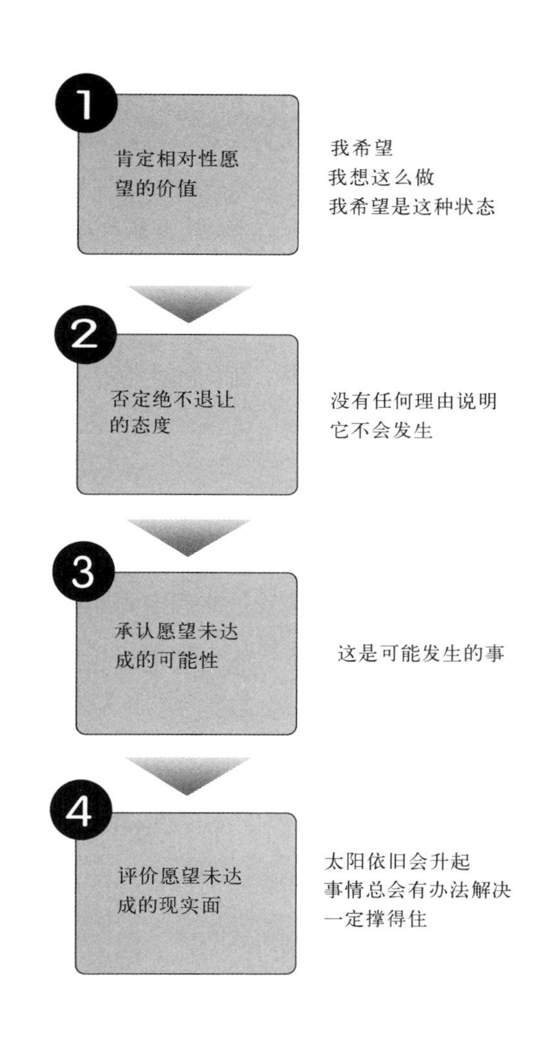

“这种问题绝不会发生，绝对不可能。原本就不该发生。不可能发生的事情应该是不会发生的，但是却发生了。真糟糕，完蛋了。没救了、死定了。到底是谁的错，世界末日来临，现在做什么都太迟了。”

4. 以“期望思考”选择正确的负面情绪

如果能够将思考根植于相对性的愿望，那么即使发生重大的问题，面对压力时也能保持平常心。保持平常心绝对不是压抑感情，也不是无感。问题解决者不是机器人，而是拥有情绪、感情的血肉之躯。

保持平常心的重点是，避开死脑筋思考的态度以及自我毁灭性的情绪，这两者都会阻碍正确地判断及行动。这些情绪就是前面提到的不安、愤怒及沮丧。如何通过良好思考，从中选出担心、不愉快、悲伤等正确的负面情绪非常重要，因为这些情绪容易与解决问题的积极行动产生联结。

好的负面情绪可以对行动造成正面影响。例如，将不愉快的心情专注在忍耐和谈判上，将担忧的心情专注在事前准备上，将悲伤的心情专注在分工合作上。这些情绪能与解决问题的行动产生正面的联结。总而言之，我们除了要学会解决问题的技巧之外，最重要的是训练如何保持平常心，因为有平常心为基础，才能够在面对问题时发挥百分之百的力量。

后 记

Mckinsey, Problem Analysis and Solving Skill

解决问题的能力，决定你的待遇

1. 上班族得到高薪的核心技能

长久以来，解决问题的技术就备受重视。同时，胜者为王、败者为寇的趋势越来越明显，未来无论在哪一种行业，都必须拥有更精进的技术。因为，经营环境时时刻刻在改变，员工被要求要在短时间内展现成果。

结果，表现较差的员工随时会被解雇。而且，现今很难光靠直觉和经验，就能把工作做好。而凭借人际关系就能保住工作的时代，更是已经远去。

过去，有人说日本的强项就是收入差距小。但是，现今社会朝着“年薪3亿日元、3000万日元、300万日元、失业者”这样的区分发展。在经济高度成长的时代，人们老挂在嘴上的“上班族很轻松”这句话，已成为明日黄花。而收入多寡的决定性因素，就是解决问题的能力。

2. 分析力是解决问题必要技术

当然，设定课题也很重要，但是在解决问题的过程中，最不可或缺的能力是分析技术。无论多么熟悉解决问题的步骤，要是缺乏分析力，你的课题设定、解决方案、实行计划始终只会流于表面，难以解决本质性的问题。

到底什么是“分析”？简单地说，就是区分状态与现象。分析的“析”字，意指拿斧头砍树，而且不只是区分，还要剖开来。所谓的分析，就是将混沌的现实区分成有意义的集合后，阐明其相互关系的一种脑力作业。这种作业要求一定水平的技术和锲而不舍的精神。

本书将分析力定位为：所有的解决问题技术当中最重要的要素。因此，特地将脚本设定与分析工具分开说明。

3. 有解决问题的技术，专业才得以发挥

在信息泛滥的今天，不能因为熟记大量专门领域的资料，就觉得自己的职业生涯稳如泰山。各式各样难以计数的问题，像是如何应对顾客的申诉、如何迅速回收账款、如何预防代理商倒戈、如何鼓励部下、如何说服上司、如何重整海外事业、如何应对投资人、如何进行企业并购、如何跨入新市场，虽然严重性各有不同，但总是有待我们去解决。唯有掌握了解决问题的技术，当面对大量的信息时，专业知识才派得上用场。

4. 能解决问题的人，永远不会供给过剩

在这个问题无穷尽、大家都渴望解答的时代，问题解决者不会有供给过剩的问题。现今，技术进步的脚步不曾停止，而且信息泛滥。随时都要提醒自己，好不容易记得的信息和数据，或是花费大量时间学会的专门技术，还有直觉、经验，等等，会不会过时了。但是，只要你具备分析与解决问题的能力，就完全不用担心技能过时的问题。相反地，当信息越泛滥，技术进步得越快时，解决问题的渴求也会持续增加。

这些背景显示出，问题解决技术已成为商务人士的核心技能。同时，从职业生涯规划的观点来看，这也是十分值得的投资。希望本书能在提升职场竞争力方面，为各位略尽绵薄之力。